Nara University
奈良大ブックレット
10

スマートフォンと〇〇の世界

正司哲朗　中原洪二郎　中坊勇太　吉村治正　尾上正人　竹中 浩

ナカニシヤ出版

もくじ

はじめに

本書はスマートフォン、いわゆる「スマホ」の普及が変えた世の中の姿について、社会科学の各領域から紹介したものである。携帯できる通信端末、いわゆる携帯電話の普及が始まったのが一九九〇年代後半、そして二〇〇八年のiPhone3Gの発売によってインターネット機能をもつ通信端末が日本中に普及することになった。それからわずか十数年で、スマホの世帯保有率は八三％に達した（総務省『令和二年度通信利用動向調査』、二〇二一）。つまり高齢者の単身世帯まで含めても、五軒のうち四軒で家族の誰かがスマホを持っていることになる。ちなみに固定電話の世帯保有率が六九％だから、いまや電話よりもスマホの方が普及している。そしてスマホはもはや私たちの生活の不可欠な一部となった。家族や知り合いに電話するだけでなく、友達とメールをやりとりするのも、動画を見たり音楽を聴くのも、ゲームをするのも写真を撮るのも、道案内もスマホで行っている。コンビニなどでの支払いもできるし、定期券もスマホ、スケジュール管理も健康管理もスマホ、さらには近年になると学習塾や学校の授業もスマホ、仕事の打ち合わせもスマホで行うことがあたり前になった。今や、スマホなしに私たちの生活は成り立たない。

生活の深い部分まで入り込んだスマホだが、実はその影響は一般に予想されるよりもさらに深く広く、私たちの目に見えないところまで及んでいる。たとえば、スマホとＳＮＳが普及することで、アメリカでは大統領選挙が根本的に変わったといわれている。通販サイトを通じて海外の小さな企業が商品を直接販売することができるようになり、流通の仕組みも変わった。政策や社会科学もスマホを通じて得られたデータに基づいて行われるようになってきている。こうした中で、自分でも気づかないまま人と人との関わり合いの仕方、物事をとらえる基本的な発想も変わってきた。そして「スマホ依存」という精神的病理まで生まれている。

ほとんどの人にとって、スマホは自分の手元にある便利な道具である。だが、その「あたり前の道具」が私たちの知らない世界の政治経済の仕組みを大きく変え、そしてそれが再び私たちに戻って個々人の生活や物事に対する考え方を大きく変えつつある。個人と世界とのつながり、これをスマホという身近な道具を手掛かりに感じてもらう、これが本書の目的である。もちろん、本書はスマホの与えた様々な影響を網羅したものではない。たとえばサイバー犯罪の急増、子供の養育への影響、フリーランスや副業の増加など働き方の変化、ネトウヨつまり外国人に対する差別主義の横行など、とり上げるべき問題、とり上げたい問題は山のようにある。本書では、そのごく一部を紹介したものにすぎない。本書を読んだ読者がこうした問題に興味を持ち、自分で調べてみようと思い立ってくれることがあれば、執筆者にとってはこれ以上うれしいことはない。

筆者一同

第1章　スマートフォンと依存の世界

正司《しょうじ》　哲朗《てつお》

一　インターネット上で提供されるサービスの歴史

インターネットの歴史

今日の私たちの生活において、インターネットは必要不可欠なものである。たとえば、新幹線の切符購入、飲食店や病院の予約、志望大学の願書取り寄せ、家族や友人への連絡などで、日常的にインターネットを利用している。

インターネットの原点は、一九六九年に米国の国防総省でコンピュータ相互のデータ通信を可能にしたＡＲＰＡネットの実験から始まっている。この時代では、メーカーが異なるコンピュータ間で相互通信ができなかったが、一九八二年に、ＴＣＰ／ＩＰ（ネット上でデータを扱うときの規則）が標準化されたことで可能になった。これがなければ、今日のようなインターネットは、存在しなかったのである。

一九九二年には、「ホームページ」という形で様々な情報を視覚的・統一的に表示できるようにしたワールド・ワイド・ウェブが登場した。現在、Ｗｅｂサービスは三つに分類され、Ｗｅｂ1.0、Ｗｅｂ2.0、Ｗｅｂ3.0と呼ばれている。

Ｗｅｂ1.0は、情報を受け取る側に一方向で情報を提供するものである。Ｗｅｂ2.0は、ＬＩＮＥ（ライン）やTwitter（ツイッター）、Instagram（インスタグラム）などのＳＮＳ（ソーシャルネットワークサービス）が該当し、双方向性を持ったものである。Ｗｅｂ3.0は、まだ明確な定義は定まっていないが、インターネット上にデータを預けることができるクラウドサービスもこれに該当し、ビットコインのような仮想通貨も含まれる。現在、世の中にあるホームページは、その用途に応じて、Ｗｅｂ1.0、Ｗｅｂ2.0、Ｗｅｂ3.0が混在している状態である。

ＳＮＳの歴史

Ｗｅｂ2.0に分類されるＳＮＳの始まりは、二〇〇二年に米国のFriendster社が開発した「Friendster（フレンドスター）」である。二〇〇四年には、日本のＳＮＳ開発に影響を与えた米国のOrkut（オーカット）、実名公開で話題となったfacebook（フェイスブック）、純日本製のｍｉｘｉ（ミクシィ）やＧＲＥＥ（グリー）が登場した。二〇〇六年には、ゆるいコミュニケーションを目指したTwitter、二〇一〇年以降は、動画や写真を共有することができるInstagram、文字・ビデオ通話等でコミュニケーションができるＬＩＮＥ、音楽に合わせて短い動画を撮影・加工し投稿できるTikTok（ティック・トック）等が登場している。

現在は、ＳＮＳの戦国時代といっても過言ではない。次々に新たなＳＮＳが生まれ、勢力（利用者数）

を伸ばしている。どのＳＮＳが生き残れるかは、利用者に魅力的なサービスを提供でき、かつ継続的に利用してもらえるかにかかっている。

ＳＮＳは、スマートフォンの発展と歩調を合わせるかのように様々な機能が追加されてきた。

ガラケー・スマートフォンの歴史

日本にスマートフォンが入ってくる以前、国内で開発された携帯電話は、独自に技術が進歩したことからガラパゴス携帯（ガラケー）と呼ばれた。ガラケーの歴史は、一九八九年から一九九一年にかけて、小型の携帯電話機が発売されたことから始まっている。その後、着信メロディ機能が世界で初めて搭載され、ショートメッセージサービスが導入されたが、漢字でメッセージが送れるようになったのは、一九九八年からである。翌年の一九九九年には、ガラケーからインターネットへの接続が可能になった。これができるようになったのも、一九八二年に標準化されたＴＣＰ／ＩＰのおかげである。二〇〇〇年には、ガラケーにカメラが付き、それ以降、静止画や動画の送信が通信速度の向上に伴い可能になってきた。

このように発展してきたガラケーであるが、二〇〇八年から二〇一三年にかけて導入された第三世代移動通信システム（３Ｇ）を最後に、ガラケーは、それ以降の移動通信システムに対応しなくなった。そのため、二〇二二年以降、第三世代移動通信システムのサービス終了（通信会社によって時期が異なる）に伴い、ガラケーが利用できなくなるが、見た目がガラケー、中身はスマートフォンである進化型携帯（ガラホ）も登場している。

一方で、ガラケーに替わり、日本にスマートフォンが入ってきたのが二〇〇八年七月である。最初は、

Apple（アップル）社 iPhone（アイフォーン）の一機種であった。その一年後の二〇〇九年七月には、日本初の Android（アンドロイド）スマートフォンＨＴＣ社ＨＴ－０３Ａが発売された。

スマートフォンの普及とともにネットワークの回線速度も増幅された。二〇一四年以降になると第四世代移動通信システム（４Ｇ）になり、速度が飛躍的に向上した。二〇二〇年には、第五世代移動通信システム（５Ｇ）が導入され、全国的に広まりつつある。ガラケーが対応していた第三世代移動体通信システムと比較すると、二〇〇倍の速度（理論値）である。

現在、これまで述べてきたように、ネットワーク回線も速くなり、スマートフォンで写真や動画を撮影し、手軽にＳＮＳで写真や動画を共有できるようになった。また、ＳＮＳのサービスも多種多様なものが生まれてきた。さらに、通信速度が向上することで、様々な動画配信サービスが、スマートフォンでも快適に利用できるようになり、動画配信サービスも多様化してきている。

その反面、インターネットやスマートフォンを使いすぎて、これらに依存することが社会問題になってきている。

二　インターネット・スマートフォン依存

依存の定義

近年、スマートフォンの使いすぎによる体調不良、健康被害、集中力低下などを引き起こす可能性が高いスマートフォン依存が深刻な問題になってきている。

「スマートフォン依存」という言葉が使われる以前は、一九九〇年代にインターネットが普及した際にも、インターネットを病的に長時間利用している状態を「インターネット依存」と呼んでいた。「インターネット依存」の概念は、一九九八年にピッツバーグ大学のキンバリー・ヤングによって提唱された（Young 1998）。現在では、携帯電話依存（Takao et al. 2009）やスマートフォン依存（Park & Lee 2011）という言葉が使われているが、スマートフォン依存を含めたインターネット依存に関する定義は、まだ統一されておらず、明確な尺度が存在しないため、インターネット依存を客観的に判定することが難しい。

インターネット・スマートフォン依存に関する研究事例

これまで様々な研究機関において、スマーフォン依存に関する研究が行われてきた。例えば、大学生を対象にスマートフォンに対する依存傾向と、日常生活に対する主観的な評価（極めて良好〜極めて良好ではない）、私的自己意識・公的自己意識に関する調査を実施し、スマートフォン依存の傾向を研究したものがある。この研究では、公的自己意識と日常生活に対する主観的な評価の相互作用が、スマートフォン依存傾向の強度に影響を与える可能性が示されている（三島 二〇一九）。

また、依存尺度の開発を目指した研究も盛んに行われている。例えば、質問紙の設計には、ヤングらによるインターネット依存に関する調査項目を参考に、ブレーンストーミング法を繰り返し適用して、四二項目の質問を抽出している。抽出した質問項目に対する回答を因子分析した結果、「ネットコミュニケーションへの没頭」、「スマホの優先と長時間使用」、「ながらスマホとマナーの軽視」の三つをスマートフォン依存の尺度としている（戸田ほか 二〇一五）。

さらに、依存尺度の設計において、使用時間が指標に用いられることが多いが、スマートフォンの使用場面を用いて指標を設計する試みがなされている。使用場面を指標とすることで、スマートフォンの使用状況が生活行動や健康状態に及ぼす影響を検討するには有用であり、スマートフォンの多使用者は、朝食欠食行動と身体的愁訴が増大するリスクがあることを示唆している（井上ほか 二〇一九）。

このように、スマートフォン依存を調べる方法は様々あるが、質問項目が研究目的によって異なり、医学的にも明確な定義はない。

次に、著者らが実施した大学生を対象としたネット（インターネットとスマートフォン）依存の調査について述べる。

三　大学生を対象としたネット依存に関する調査

調査の概要

二〇一九年の冬から全世界的に広まっていったコロナ禍において、国内の大学で開講されている対面授業のほとんどが、遠隔授業に置き換わっている。このため、大学生たちは、普段のインターネット利用に加えて、授業でも必然的に利用する機会が増えており、インターネット依存になりやすい環境になっている。このため、本調査では、スマートフォン依存に限定せずに、ＰＣやスマートフォンを含めたインターネット依存に関する調査を行った。本章では、以降、ネット依存と呼称することにする。

従来の研究では、設計した質問項目からネット依存傾向を探るボトムアップ型であるのに対して、本調査の分析方法はネット依存の自覚があるかどうかを回答者に尋ね、それに関連する質問項目を抽出するトップダウン型である。

調査は、インターネットで回答できるウェブ形式の調査（ウェブ調査）で行った。なお、調査紙の設計は、本学で開講されている社会調査実習を受講している学生たちが、主体的に考案したものである。

ウェブ調査の設計

ウェブ調査の回答形式は、一般的には、「多肢択一型」、「多肢選択複数回答型」、「数値入力型」、「自由記述型」、「その他」の五つに分類することができる。

本調査で利用する回答形式は、多肢択一型、多肢選択複数回答型、その他（多肢選択複数回答型＋自由記述）の三つである。

質問項目数は七三あり、そのうち、ネットに関連する質問は四三項目である。ヤングのインターネット依存に関する調査項目も参考にしている。それ以外の質問項目は、リモート授業関連、生活習慣・健康、学業、生活環境、性格である。

回答者の利用端末

ウェブ調査は、二〇二一年六月三〇日から七月三一日まで実施した。調査対象者は、奈良大学の学部生七五七名であり、有効回答数は二八三名（回答率三七・四％）であった。

インターネットに接続する機器の所持は、スマートフォンが九七・九％、ノートＰＣが七九・二％、タブレット端末が二五・八％、デスクトップＰＣが一九・八％であった。すべての回答者が何らかのインターネット接続機器を所持していたが、デスクトップＰＣの所持率が最も低い結果となった。

回答者（重複アクセスを含む）が利用した端末を調べると、iPhoneが三八・五％、Androidスマートフォンが一二・二％、Windows（ウインドウズ）系が四六・七％であった。日本人のiPhone所有率が、Androidスマートフォンよりも高いといわれているが、今回の調査でもその通りになった。

ＳＮＳ・動画サービスの利用状況

ＳＮＳの利用に関しては、八三・〇％が利用しており、動画配信サービス（音楽を含む）は、九五・一％が利用していた。ＳＮＳの種類については、ＬＩＮＥが七九・九％、Twitterが七四・九％、Instagramが四九・八％、TikTokが一八・七％、facebookが四・二％となり、ＬＩＮＥとTwitterの利用率が比較的高かった。ＬＩＮＥは家族・友人とのコミュニケーションに用いられ、Twitterは情報収集によく用いられ、情報の拡散力がＳＮＳの中では最も高いものである。また、TikTokは、比較的新しいものであり、若者中心に利用が広がっている。

動画サービスの利用状況では、圧倒的にYouTube（ユーチューブ）が多く、九三・三％であった。本学において、授業の動画配信は、主にYouTubeを利用しているため、少なからず影響を与えていると考えられる。続いて、Amazon（アマゾン）プライム・ビデオが三五・三％、ニコニコ動画は二三・三％、AbemaTV（アベマＴＶ）が二一・二％となっており、無料で映像を視聴できるサービスの利用率が高い。

四　ネット依存の分析と傾向

ネット依存の分析

まず、ネット依存の自覚があるかどうかを尋ねたところ、「そう思う」が一八・〇%、「どちらかというとそう思う」が三七・五%、「あまりそうは思わない」が二七・九%、「そう思わない」が一三・四%、「よくわからない」が三・二%であり、「そう思う」と「どちらかというとそう思う」を合わせると半数以上が、ネット依存の自覚があるという結果になった。

次に、ネット依存の自覚に関する質問と各質問の回答間に有意差（統計的に偶然起こったと考えられない差）が認められるかどうかを、カイ二乗検定（二つの変数で何らかの関係があるかどうかを検定）を用いて調べた（表1）。なお、有意差（有意水準五%）が認められる場合には、「1」、有意差が認められないものを「0」としている。さらに、ネット依存の回答の種類に応じて、次のようにAからCの三つに分類している。

Aは、「そう思う」「どちらかというとそう思う」「あまりそうは思わない」「そう思わない」「よくわからない」の五種類の回答を、Bは、Aの回答から「よくわからない」を除いた四種類の回答を、Cは、「そう思う」「そう思わない」の二種類の回答をもとに検定したものである。表1から回答の種類によって、各質問項目に有意差が認められるかどうかが異なっていることがわかる。このことから、回答者がネット依存かそうでないかの判断には個人差が生じている場合があり、「どちらかというとそう思う」「あまりそうは思わない」「よくわからない」の回答には、曖昧な部分が含まれていることが推察される。このた

表1　有意差が認められたネット依存の自覚に関する質問

質問項目	A	B	C
Q2. 平日に、学校の授業もSNSもゲームもすべて含めて、一日のうちインターネットを使っている時間はどれぐらいですか。	1	1	1
Q4. ゲームをする人にうかがいます。どのようなジャンルのゲームをしますか。	1	1	0
Q5. では、そのうち一番よくやるのは、どのジャンルのゲームですか。	1	1	1
Q13. SNSで知り合った人、SNSでしか会ったことのない友人はいますか。	0	0	1
Q19. インターネットを使って他の作業をしている時に動画・音楽配信サービスを同時に使うことがありますか。	1	1	0
Q25. リモートの授業を受けていて「リモートなら手を抜いてもバレない」と思うことはありますか。	1	1	0
Q28. あなたは今、何年生ですか。	0	1	0
Q29. あなたの成績は、他の人よりもよい方だと思いますか、それとも悪い方だと思いますか。	1	1	0
Q31. ゲームもSNSも授業も含め、インターネットをする時間は、コロナ禍になる前と比べて増えましたか、それとも変わりませんか。	1	1	1
Q34. この一年ほどで視力が落ちた、目が疲れやすくなったと感じますか。	1	1	1
Q35. この一年ほどで不眠になったり目覚めが悪くなったと感じますか。	1	1	1
Q36. 不眠や目覚めが悪くなった人にうかがいます。お昼ごろに眠たくなったり、集中力が途切れることがありますか。	1	1	1
Q37. この一年ほどで体調を崩す、具合が悪くなるなど、健康に問題がでたことがありますか。	1	0	0
Q40. 気がつくと思っていたよりも長い時間ネットをしている。	1	1	1
Q41. ネットを長く利用していて家での役割をおろそかにした。	1	1	1
Q43. ネットで新しく知り合いを作ることがある。	1	1	1
Q44. ネットを利用する時間が長すぎると周囲の人に文句を言われたことがある。	1	1	1
Q45. ネットをしている時間が長すぎて勉強をする時間がなくなる。	1	1	1
Q46. ネットが原因で勉強に集中できない。	1	1	1
Q47. 他にやらなければならないことがあっても、まずメールやSNSをチェックする。	1	1	1
Q49. 日常の生活から気をそらそうとしてネットで時間を過ごすことがある。	1	1	1
Q50. 気がつけば、またネットを楽しみにしていることがある。	1	1	1
Q51. ネットのない生活は退屈でむなしく、わびしいと思うことがある。	1	1	1
Q52. ネットをしている最中に他の人に邪魔されて、いらいらしたり怒ったりすることがある。	1	1	1
Q53. 夜遅くまでネットをしていて寝る時間がなくなることがある。	1	1	1
Q54. ネットをしていないときでも、ネットのことを考えてぼんやりしていることがある。	1	1	1
Q55. ネットをしていて「あと少しでやめよう」と自分に言い訳していることがある。	1	1	1
Q56. ネットをする時間を減らそうと思っているが、なかなかできない。	1	1	1
Q57. ネットをしている時間を人に聞かれると、とっさにウソをついてしまう。	1	1	0
Q59. ネットをしていない時にイライラして、ネットを始めると気分がよくなることがある。	1	1	1
Q61. ネットやSNSをやっている自分の方が、普段の自分よりも自分らしいと思う。	0	0	1
Q63. 人から受け入れられていないのではないかと不安になることがある。	1	1	1
Q68. 一人で行動するのが苦手だ。	0	0	1
Q69. 初対面の人と話すのは楽しい。	0	0	1
Q70. 人と対面でする会話は、はっきりいって苦手だ。	1	1	1

め、本調査では、ネット依存の質問に対して、「そう思う」、「そう思わない」と明確に示した回答者の回答（表1のC列）で有意差が認められた質問項目二八個（Ｑ2、Ｑ5、Ｑ13、Ｑ31、Ｑ34～Ｑ36、Ｑ40、Ｑ41、Ｑ43～Ｑ47、Ｑ49～Ｑ56、Ｑ59、Ｑ61、Ｑ63、Ｑ68～Ｑ70）が、ネット依存に関係する質問項目であるとした。これらの質問項目に対する回答から、ネット依存を自覚している回答者には、どのような傾向があるのかを調べるために残差分析（カイ二乗検定後に行う分析方法で、傾向の有無を検証する方法）を行った。

ネット依存の傾向

本調査において、回答を分析した結果、ネット依存と自覚している回答者には、次のような傾向が見られた。

人と対面でする会話が苦手であり、この一年ほどで、「視力が落ちた／目が疲れやすくなった／目覚めが悪くなった／不眠になった」とよく感じている。また、お昼頃に眠たくなったり、集中力が途切れたりするとよく感じ、気づくと思っていたよりも長い時間ネットをしてしまう。また、コロナ禍以前と比べて、インターネットをする時間が増えた。

ネットを長時間利用していて、家での役割を疎かにし、勉強をする時間も寝る時間もなくなることがある。また、ネットが原因で勉強に集中できなくなる。ほかにやらなければならないことがあっても、まず、メールやＳＮＳをチェックする。日常生活から気をそらそうとしてネットで時間を過ごすことがあり、気づけば、またネットを楽しみにしていることがある。ネットのない生活は退屈でむなしく、わびしいと思うことがあり、ネットをしていないときでも、ネットのことを考えてぼんやりしていることがある。

ネットをしていて「あと少しでやめよう」と自分に言い訳をしていることがあり、ネットをする時間を減らそうと思っているが、なかなかできない。

もし、このようなことに心当たりがあるならば、依存傾向が高い可能性があるため、ネットの利用方法を考え直したほうがよいと思われる。ネット依存が進行することによって、体や心の問題、家族的・社会的問題に発展する可能性もある。特に、無自覚の場合には、自ら改善しようとする機会を失うことにもなりかねないため、まずは早期に、ネット依存を自覚し、ネット依存を改善しようとする努力が必要である。

【謝辞】 本調査を実施にあたり協力を頂いた社会調査実習の二〇二一年度受講学生たちに感謝する。また、本調査の一部は、ＪＳＰＳ科研費18H00940の助成を受けたものである。

〔参考文献〕

井上久美子・小林三智子・長澤伸江（二〇一九）「女子大学生における使用場面数を指標としたスマートフォンの使用状況と健康状態や生活行動に対する自己管理力との関連」『日本健康教育学会誌』二七（二）。

戸田雅裕・西尾信宏・竹下達也（二〇一五）「新しいスマートフォン依存尺度の開発」『日本衛生学会誌』七〇。

三島浩路（二〇一九）「スマートフォン依存傾向に関連する要因」『現代教育学部紀要』一一。

Park, B.W. & Lee, K.C.（2011）"The effect of users characteristics and experiential factors on the compulsive use of the smartphone," *Ubiquitous Computing and Multimedia Application*, 151: 438-446.

Takao, M. Takahashi,S. & Kitamura, M.（2009）"Addictive personality and problematic mobile phone use," *Cyber Psychology & Behavior*, 12(5): 501-507.

Young,K.S.（1998）"Internet addiction: The emergence of a new clinical disorder," *Cyber Psychology & Behavior*, 1(3):237-244.

第2章
スマートフォンと人間関係の世界

中原《なかはら》洪《こう》二郎《じろう》

一　スマートフォンの利用目的

利用者が求めるスマートフォンの機能

みなさんはスマートフォンをどのような目的で使用しているだろうか。スマートフォンの何が「スマート」かといえば、一つの筐体に様々な機能を盛り込んでいる点、そしてそれらの機能をユーザが取捨選択できるという点がスマートということだろう。つまり、いろいろな機能を利用できるからといって、利用できるすべての機能を利用するというユーザーはごく稀で、ほとんどのユーザーは自分に必要な機能しか利用しない。

二〇二〇年に一般社団法人情報通信ネットワーク産業協会が関東、関西に居住しているスマートフォンや携帯電話などモバイル通信端末を利用している一二〇〇人を対象に「二〇二〇年度　モバイル通信端末の利用実態調査」を実施した。この調査では実に一一八〇人（九八・三％）の回答者がスマートフォンを利用していると回答している。注意をしなければならないのは、この調査はモバイル通信端末を利用している人を対象にしているので、そもそもそういった端末を使用していない人は含まれていない、という点である。

　この調査によると、「機能毎の利用率（複数回答）」として九五・一％の対象者が「ＬＩＮＥ（ライン）の閲覧・投稿」と回答しており、次いで「ＳＮＳのトークやメッセージ送受信」が九二・三％となっている。さらに「通常の電話機能の通話（八七・五％）」「文字主体の通常のメール送受信（八六・七％）」「インターネットメール送受信（七八・六％）」と、何らかのコミュニケーション機能の利用が上位を占めており、この次にようやく「動画の視聴（七八・二％）」というエンターテインメント機能が登場する結果となっている。

　ほかにも最近のスマートフォンはカメラ機能の強化が著しいが、「カメラで静止画を撮影」と回答した人が七六・四％、ほとんどのスマートフォンが自身の位置を人工衛星の電波を利用して特定することができるＧＰＳレシーバを搭載しているが、「地図情報・ナビ・ＧＰＳロガー・位置情報サービス」と回答した人が七一・八％、エンターテインメント機能として多様なゲームアプリがリリースされているが、「ゲーム」と回答した人は五五・三％に留まっている。

コミュニケーションツールとしてのスマートフォン

　このように、スマートフォンは多機能であるがゆえに「スマート」であるといえるが、ユーザーが利用する機能としては、圧倒的にＳＮＳによるコミュニケーションツールとしての側面が際立っているといえるだろう。

上述の調査では、ＳＮＳの利用について「閲覧や投稿」「送受信」といったようになっているが、コミュニケーションとは双方向性を持つものだと考えるのであれば、それぞれ「投稿」「送信」という観点からもデータを捉える必要がある。二〇二〇年に総務省情報通信政策研究所が全国の一三歳から六九歳までの男女一五〇〇人を対象に実施した「令和二年度情報通信メディアの利用時間と情報行動に関する調査」によると、ＬＩＮＥについては九〇・三％が利用していると回答しているが、そのうち「書き込む・投稿する」としている回答者は五三・八％となっている。ＬＩＮＥに次いで利用者の多かったTwitter（ツイッター）については四二・三％が利用していると回答しているが、同様に「書き込む・投稿する」としている回答者は一三・九％となっており、何らかの情報を書き込んだり、投稿している利用者はＬＩＮＥについては約六割、Twitterについては約三割に留まっている。

以上のことから、スマートフォンにおける様々な機能のうち、最も利用されている機能はＳＮＳに代表されるコミュニケーション機能であるが、「コミュニケーション」といっても、主にＳＮＳを通して情報を収集するために用いているユーザーが多く、すべての利用者が何らかの形で情報発信を行っているわけではない。ただしＬＩＮＥについては双方向的なコミュニケーションツールとして広く定着しているといえるだろう。

二　ＳＮＳと人間関係

いじめと誹謗中傷

ＳＮＳの利用形態には、直接的な人間関係を持つ他者とやりとりをする、というタイプの利用と、直接的な人間関係を持たない他者が発信した情報を読んだり見たりした上で、場合によってはコメントするなどのやりとりをする、という二つの主なタイプがある。上述の通り、前者の代表がＬＩＮＥであり、後者の代表がTwitterにあたる。前者が比較的狭い人間関係の中で使用されるＳＮＳであることから、「クローズ（閉じられた）型」ＳＮＳ、後者が不特定多数によって使用されるＳＮＳであることから、「オープン（開かれた）型」ＳＮＳともいう。

近年、クローズ型のＳＮＳにおいてもオープン型のＳＮＳにおいても誹謗中傷やいじめの問題が注目を集めている。学校でのＬＩＮＥグループ内で特定の児童や生徒をいじめの対象にするケースや、投稿者が有名かそうでないかを問わず、Twitter上で特定の投稿者に対して主に匿名のユーザーが誹謗中傷を行い、被害者が精神的に追い込まれてしまうようなケースが問題視されている。

文部科学省が二〇一九年に実施した「児童生徒の問題行動・不登校等生徒指導上の諸課題に関する調査」では、一万七九二四件もの「パソコンや携帯電話等をつかったいじめ」が報告されており、いじめ全体の件数に占める割合は小学校では二・九％、中学校では八・一％、高校では一八・七％となっている。ここでの件数はあくまで報告されているものであり、実際にはさらに多くのいじめが発生していると考えた方がよいだろう。小学校よりも中学校、中学校よりも高校の報告件数が多くなっているのは、スマートフォンの普及率と関係しているからである。

オープン型ＳＮＳにおける誹謗中傷に対する対策として、ＳＮＳのアカウントを匿名では作成できなくして、個人を簡単に特定できるようにすることで、「匿名」であることを悪用したコメントを書き込みにくくする方策や、ＡＩなどの情報技術を活用して誹謗中傷に該当する書き込みに制限をかけるといった方策が検討されているが、いずれも議論が進んでいるとは言い難い。しかもオープン型ＳＮＳにおいて「個人が特定される」ことで本当に誹謗中傷を抑制できるのかという点について、クローズ型ＳＮＳにおけるいじめ問題では一般に加害者を特定可能な状態であるにもかかわらず、公然と加害行為が行われる例が少なくなく、本当に個人が特定される状況なら誹謗中傷が抑制されるのか、という点については疑わしいともいえるだろう。

クローズ型ＳＮＳにおけるいじめは、クローズ型ＳＮＳが既存の人間関係の延長線上にあることが多いことを考えると、ＳＮＳ外のいじめがＳＮＳの利用に反映されるという面もあるが、逆に、ＳＮＳ内で発生したいじめがＳＮＳ外に反映されたり、ＳＮＳ内でいじめが加速したりするような場合も少なくない。では、なぜＳＮＳ上でいじめや誹謗中傷などの加害行為が発生したり、ＳＮＳの利用によっていじめや誹謗中傷が深刻化したりするのであろうか。ここでは特にＬＩＮＥに代表されるようなクローズ型ＳＮＳについて検討する。

三　ＳＮＳにおけるコミュニケーションのかたち

ＣＭＣとＦＴＦ

ＣＭＣという言葉がある。これはコンピュータ・メディエイテッド・コミュニケーションの頭文字で、「コンピュータを媒介したコミュニケーション」という意味である。これと対比的に用いられる用語として、ＦＴＦという言葉があるが、こちらはフェイス・トゥー・フェイス、「直接に顔を会わせる（コミュニケーション）」という意味である。

ＣＭＣとＦＴＦがどのようにコミュニケーションの質の違いと関連しているのかという研究は、スマートフォンが普及する以前から行われている。インターネット黎明期において、ＣＭＣはほとんどの場合、短い文章をコンピュータとネットワークを介して互いに送り合う「テキストチャット」と呼ばれる方法で行われていた。従来のコミュニケーションの中心であったＦＴＦ状況と比べて、ＣＭＣは有効な方法なのかという研究関心による研究であった。

もちろん、ＣＭＣでありかつＦＴＦというコミュニケーションも可能である。近年、Ｚｏｏｍ（ズーム）やGoogle Meet（グーグルミート）などカメラを介した電子会議システムが急速に普及しつつあるが、これらはまさにＣＭＣでありかつＦＴＦである。

短文によるコミュニケーションの特徴

現在普及しているＳＮＳにおいても、ビデオチャットなど音声や画像によるコミュニケーション手段が使用可能な場合が多いが、実際に用いられることは非常に少ない。たとえばＬＩＮＥならごく短文と絵文字、あるいはスタンプをやりとりする利用形態がほとんどであり、Twitterなら一四〇字という文字数の制限に加えて、せいぜい画像を用いる程度である。

これまでのＣＭＣ研究から得られた知見として、「文字だけを使って行うＣＭＣの方が、ＦＴＦに比べて自己開示量（自分についての説明）が多い」というものがある（Joinson 2001）。これは、ＣＭＣだとＦＴＦに比べて音や画像など言葉（文字）以外の情報が少なくなってしまうので、それをできるだけ自己開示によって補おうとするからだといわれている。しかしこういった研究の背景には、ＣＭＣの相手が自分の知らない相手であるという前提があるため、必ずしもＳＮＳの場合には当てはまらないし、実際のＳＮＳの利用状況にも当てはまらないだろう。上述のように、ＬＩＮＥもTwitterでもごく短い文章でのやりとりが中心的だからである。しかしこのＣＭＣ研究で得られた知見の重要な点は「ＣＭＣだとＦＴＦに比べて音や画像などの言葉（文字）以外の情報が少なくなってしまうので、それをできるだけ自己開示によって補おうとする」点である。つまりＣＭＣの利用者は、文字情報だけでは足りない、短文では足りないということを理解していて、それをなんとか補おうとする傾向がある、ということがわかっているにもかかわらず、短文でのやりとりが好まれる現実のＳＮＳでは必ずしもそれが実行されていない、ということにならないだろうか。

四　ＳＮＳは「スマート」なのか

内容よりも速さを求める

文字を使って相手とコミュニケーションする伝統的な手段、それは「手紙」である。文字が中心であるということでいえば、スマートフォンはおろか、携帯電話やインターネットが発達していなかった時代に中心的なコミュニケーションツールであった手紙と、現代のＳＮＳとは文字でのやりとりという点では何も変わっていない。だが決定的に違うのは情報の到達速度と頻度である。手紙の場合、投函してから返事が戻ってくるまでに早くても数日は要するし、ＳＮＳに比べればやりとり一回あたりの費用も決して安くはない。それだけに手紙を書くときには内容を熟考するものである。この文章で自分の意図は正しく伝わるだろうか、ほかに伝えるべきことはないだろうか、といった、自分の気持ちと向き合いながら、同時に相手の気持ちにも向き合う時間がしっかりと用意されている。

ＳＮＳ利用の場合はどうだろうか。ＳＮＳだからといって、自分の気持ちをおろそかにするわけでも、相手の気持ちを考えないわけでもないだろう。しかしその配慮の現れ方は「内容を熟考する」というような手紙の書き方や、「自己開示量を増やす」というようなＣＭＣの研究結果とは異なっている。

大堀・長山（二〇二二）によると、ＬＩＮＥで「既読」表示がされたあと、主観的に相手からの返事が遅いと感じる、相手にいわゆる「既読スルー」をされていると感じることで相手との関係性の悪化を懸念し、不安が高まり、その結果としてより一層の「つながり感」を得るために周囲と同調しようとする傾向が強まることが示されている。逆にいえば、相手がそのような感情を持たないように、読んだら＝既読マークを付けたら、できるだけ早く返信しなければならないという強迫観念にとらわれることになる。すでにある程度以上の自己開示が行われているＬＩＮＥのようなクローズ型のＳＮＳにおいては、文章で足りない部分を補おうとするよりも、短文でよいからできるだけ早く返信をすることで関係性を維持しようとするため、結果的に「言葉足らず」になるおそれがある。

この言葉足らずを避けるため、文字に加えて絵文字やスタンプを多用するようになるが、笑顔の絵文字も楽しそうなスタンプも、それを単純に繰り返すだけでは単にコミュニケーションに要する労力の節約と受け止められてしまう。絵文字やスタンプを使っている人物が画面の向こうで本当に笑顔でいるのだろうか、と疑心暗鬼になったりする場合もあるだろう。

異質なものへの恐れが「ネットいじめ」につながる

また返信に即時性を求め、それが得られない場合の不安感によってより強い「つながり感」を求めるようになり、周囲と「同調しようとする傾向」が強まるということを述べた。この「同調しようとする傾向」は、「自分の人間関係から異質なものを排除したい、あるいは自分が異質なものになりたくないと考える傾向」ともいえる。このような「恐れ」がＬＩＮＥのようなクローズ型ＳＮＳにおけるいじめの発生や深刻化の助長に影響を与えていると考えられる。つまりいわゆる「ネットいじめ」のきっかけは、ごく日常的なあたり前のやりとりの中に潜んでおり、それによって不安と恐れが蓄積していった結果として、特別な理由もなく「誰か」を標的としたいじめ行為として噴出する、ということが考えられる。

傍観者効果

先に述べたようにTwitterのようなオープン型ＳＮＳだけではなく、ＬＩＮＥのようなクローズ型ＳＮＳにおいても、必ずしもすべての利用者が書き込みなど情報発信を行っているわけではない。ＳＮＳの閉じられたグループ内でのやりとりについても、常に全員が発言しているというわけでもないだろう。たとえば、何らかの経緯によって、クローズ型ＳＮＳのグループ内において特定の利用者がいじめの対象になっていると仮定する。いじめ被害者に対していじめ加害者が加害的な書き込みを行ったと想像してみよう。その加害的な書き込みに対して同意も否定もしない、ただスルーした場合に、それはいじめ行為に加担したことになるだろうか。

たとしても、きっと周囲の誰かがやってくれるだろう」と、関係する全員が考えることによって、結果として誰も助けようとしない、という現象のことをいう。なぜそのような現象が生じるかといえば、自分だけがリスクを負うことを避けたいからである。

「傍観者効果」という社会心理学的な現象がある。これは「誰かを助けなければならない問題が発生し

クローズ型ＳＮＳにおいては特に先に述べたような「同調しようとする傾向」や「異質性への恐れ」がＦＴＦにおけるコミュニケーション状況よりも強くなるため、ＦＴＦなら被害者を助けようとする場合でも、ＳＮＳ上ではそれを行うことができない、ということになりかねない。いじめの加害行為に対して被害者を助けるという行為や、加害的な書き込みに対して否定的な書き込みを行うということ自体が同調を崩し、自分が異質なものになるという恐れがより強く感じられるからである。

つまり、ＳＮＳ参加者個人の性格がどうであるか、といった問題ではなく、クローズ型ＳＮＳの仕組みによって傍観者効果が発生しやすく、いじめ被害者が何らかの援助を受けにくくなってしまうのである。

五　クローズ型ＳＮＳのここに気をつけよう

SNSと短文コミュニケーションの限界

ここまでクローズ型ＳＮＳを中心に、ＳＮＳが人間関係に及ぼす影響について見てきたが、おおむね否定的な論調であったことは否めない。しかしこれまで議論してきたことは、クローズ型ＳＮＳの有用性を否定することを目的としていたわけではない。むしろクローズ型ＳＮＳを活用するために、その問題点を

認識しておくことが重要であろう。

結局のところ、ＳＮＳは文字によるコミュニケーションが中心であり、かつその仕組みとしてただちに反応すべきという強迫観念に人を陥らせがちであるという特徴をユーザーが認識しておくことが必要だろう。

- 短文では相手の意図が十分に伝わらないので、相手の意図が読み取れないと感じた場合は音声チャットやビデオチャットを併用したり、ＦＴＦでのコミュニケーションに切り替えたりする。
- 短文では相手の意図よりも過大に否定的なニュアンスを読み取りがちなので、相手から否定されている、攻撃されている、と感じたとしてもＳＮＳ上でやり合うことはせず、音声チャットやビデオチャット、ＦＴＦでのコミュニケーションなど、他の方法でその意図を確認する。
- 相手からの返信が遅いと感じたとしても、相手には相手の事情があるので、それを人間関係に落とし込んで考えない。あらかじめ「返信は遅くてもよい」ということを明確にしておくとよい。
- いずれにしてもすべてをＳＮＳ内で完結させようとしない。

こういったことをあらかじめユーザーが共有しておくことによって、そもそもネットいじめが生じにくい環境を作ることが期待される。そしてもし、ＳＮＳ上でのいじめ加害を発見した場合には、ＳＮＳ上でのいじめはＦＴＦでのいじめよりも被害者に援助が届きにくいということを認識した上で、自分にできるやり方でよいので被害者に手を差し伸べてほしい。

〔引用文献〕

一般社団法人情報通信ネットワーク産業協会（二〇二〇）『二〇二〇年度　モバイル通信端末の利用実態調査』。

大堀優・永山智（二〇二一）「高校生のＬＩＮＥでのやりとりに対する認知と友人関係の関連―ＬＩＮＥで嫌な体験をした時と対面時の変化の検討―」『発達心理臨床研究』二七号。

総務省情報通信政策研究所（二〇二〇）『令和二年度　情報通信メディアの利用時間と情報行動に関する調査』。

文部科学省（二〇一九）『令和元年度　児童生徒の問題行動・不登校等生徒指導上の諸課題に関する調査』。

Joinson. A. N.（2001）“Self-disclosure in computer-mediated communication: The role of self-awareness and visual anonymity,” *European Journal of Social Psychology*, 31 (2):177-192.

第３章　スマートフォンと意思決定の世界

中坊《なかぼう》　勇太《ゆうた》

一　はじめに

スマートフォンの利用率は全年代（一〇代から六〇代）で八〇％を超えている。またスマートフォンによるインターネット平均利用時間（全年代）はパソコンなどの他の機器と比べ突出して高く、平日・休日ともに一〇〇分を超えている[1]（総務省情報通信政策研究所　二〇二一）。スマートフォンの普及とともに、スマートフォンをはじめとしたインターネット利用について問題を抱える人々も少なくないことが明らかとなっている。総務省情報通信政策研究所（二〇二一）によると、「もともと予定していたよりも長時間ネットを利用してしまう」に「はい」と回答した人の割合は全年代では四三・九％、特に一〇代では六九・九％となっている。また「ネットのせいで家族・友人との関係が損なわれたり、仕事や勉強などがおろそかになりそうになっている」に「はい」と回答した人の割合は全年代では七・三％、特に一〇代では二八・五％となっている。

これらのデータを合わせて考えると、「思ったよりも」スマートフォンでインターネットを使いすぎてしまい、仕事や勉強などやらなければならないことを先延ばししてしまい、日常生活に支障が出ている人々が少なくないことが推察される。またこの傾向は若者により顕著である。以上を踏まえて本章で注目したいのは、スマートフォンを長時間使用することそのものではなく「もともと予定していたよりも」・「思ったよりも」という部分である。このことは、われわれの、スマートフォン利用に関する意思決定（どれだけの時間使うかの決定）について、「理想（実際に利用する前にこれだけ使おうと決めていた予定時間）」と「現実（実際の利用時間）」に差が生じていることを意味する。言い換えると、自分の計画通りの行動を実行することができていないということでもある。なぜわれわれは自分の行動を自分でうまくコントロールできずに理想と現実の間に差が生まれてしまうのだろうか。そして、どうすればこの差を埋めることができるのだろうか。スマートフォンを「思ったよりも」使いすぎてしまうメカニズムとその対処法について、経済学の一分野である行動経済学の観点から考えてみたい。

二　経済学で意思決定を考える

経済学とは

本題に入る前に、経済学について説明する。みなさんは経済学についてどのようなイメージを持っているだろうか。よくあるのは、「経済学＝お金儲けのための学問でしょ」や、「経済学＝景気とか失業とか、需要供給の話でしょ」という回答である。これらは完全に間違っているわけではないが、ピントがずれた回答である。では経済学とはどういう学問かというと、どのような意思決定をすれば幸せになれるのかを考える学問である。[2]「意思決定」というと難しそうでわれわれにとって縁遠いもののように思えるかもしれないが、大竹は「私たちの生活は起きてから寝るまで意思決定の連続である」（大竹　二〇一九：i）と述べている。

たとえば、このブックレットを読んでいるというのも立派な「意思決定」の結果である。時間の使い方としてブックレットを読む以外にも仕事をする、勉強をする、遊びに出かけるなどたくさんの選択肢があったわけである。読者であるあなたはそれらたくさんの選択肢の中から「ブックレットを読む」という行動を選ぶという「意思決定」をしたのである。

人の意思決定を考える際に経済学が前提とする人間像は、先を見通し、自分の好みがいつでも完全にわかっていて、それをもとに常に自分が最も幸せになる、自分にとっての利益が最大となる選択肢を選ぶことができる、計算能力が非常に高い人間である。これはときとして「ロボット」のようで非現実的な人間像であると批判されることもあるが、まったく無秩序に生きている人はおそらくいないはずであるので、そこまで非現実的であるとはいえないと思われる。

経済学の分析視点

経済学の分析視点として、事実解明的分析（positive analysis）と規範的分析（normative analysis）がある。[3]

事実解明的分析というのは現実に起こっている事象がどのようであるか、どういう原因で起こっているのか、についての分析である。今回の例でいえば、スマートフォンの利用時間に関する理想と現実の差が生まれているのはどういうメカニズムによるものかを明らかにするのが事実解明的分析である。また規範的分析とはわれわれがどのように行動すべきかをアドバイスすることである。今回の例でいえば、スマートフォンを思ったよりも使いすぎないためにはどうすればよいかを考えることが規範的分析になる。注意が必要なのは、規範といっても社会的な規範（社会的にこうすべきだというルール）とは限らないということである。個人にアドバイスする場合は個人の事情、その人ならではの好み（生きる上で重要視していることや何をするのに幸せを感じるのかなど）が規範となる。

経済学でスマートフォンを「思ったよりも」使いすぎる行動は説明できるか

これまでに述べてきた経済学の考え方を用いて、スマートフォンの使用に関する意思決定について考えてみよう。話が込み入ってくるので図1を使って具体例を用いて考える。具体例として図1の(a)のように現在＝八月一日とし、架空の高校生Ａさんが一か月後＝九月一日の自由時間の使い方に関して意思決定をしようとしている場面を考える。話を簡単にするために選択肢はスマートフォンを使用するか、九月二日の試験のための勉強をするかの二択とする。自分にとっての利益が最大となる選択肢を選ぶために、スマートフォンの利用と試験のための勉強は、それぞれどのような利益をＡさんにもたらすか考えてみよう。まずスマートフォンについては、スマートフォンを使用して動画を見たり、友人とメールやＳＮＳでやりとりをしたりすると、「今すぐ」に楽しさが手に入る。つまりスマートフォンの使用は短期的な（目先の）利益と直結している。一方試験勉強をすることの利益は、勉強することそのものが楽しいという場合には、勉強している最中に利益が手に入るという短期的な利益となるが、おそらく試験勉強の利益とは試験で高得点をとるということだろう。この場合、試験で高得点をとり利益を得ることができるのは勉強をする時点よりも少し先の将来（今回の例では勉強した翌日以降）のことである。つまり試験勉強は長期的な（将来の）利益と結びついているといえる。

ではAさんは短期的な利益と長期的な利益のどちらを優先すべきなのだろうか。これは決まりきった答えはない。Aさんの時間に対する好み次第ということである。Aさんが目先の楽しみよりかは将来の楽しみを優先したいという好みを持つ場合は、短期的な利益を犠牲にして長期的な利益を優先するような我慢強い選択をする。つまり自由時間の使い方としてはスマートフォンの利用は少なめにしてその分勉強時間を多くとるということである。一方、Aさんが将来の楽しみよりも目先の楽しみを優先したいという好みを持つ場合は、長期的な利益を犠牲にして短期的な利益を優先するようなせっかちな選択をする。つまり勉強時間は少なめにしてその分スマートフォンの利用時間を多くとるということである。以上より短期的な利益と長期的な利益のどちらを優先したいかという個人の好みによって自由時間の使い方は決まるというのが経済学の結論ということになる。

またこれまで経済学では個人の時間に関する好みについては一定であるという仮定をしていた(Samuelson 1937)。これにより長期的な利益を優先する我慢強い人はつねに我慢強く、短期的な利益を優先するせっかちな人は常にせっかちな選択をするということになる。今回の例でいえば、Aさんが八月一

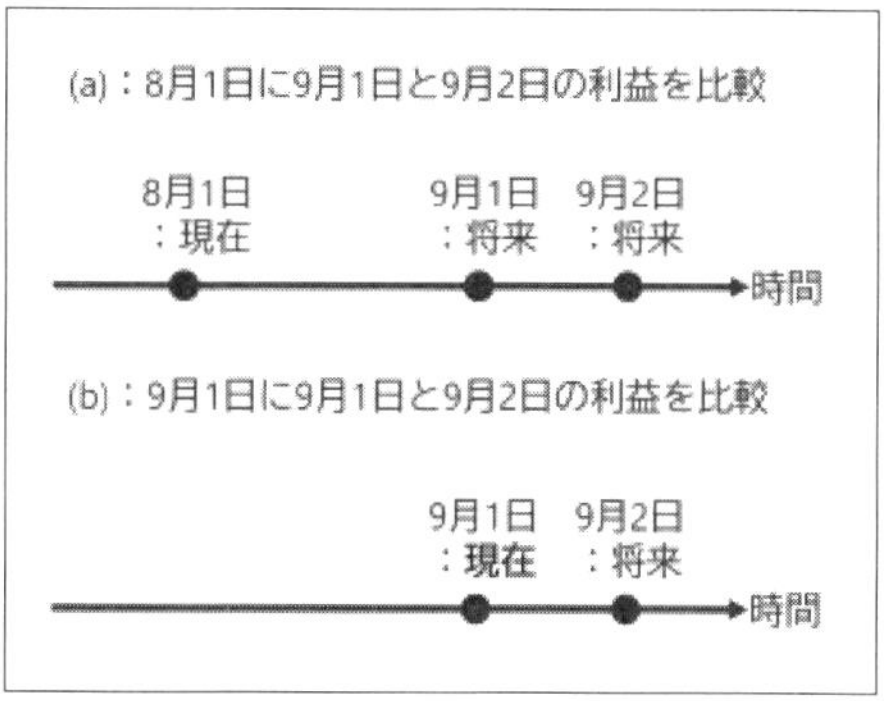

図1　Aさんの意思決定

日に立てた計画は九月一日の実行当日になっても破られることはない。

ここまでの議論では「思ったよりも」というキーワードは一切登場していないということに注意してほしい。長期的な利益を犠牲にして目先の短期的な利益を優先する、せっかちな人は、勉強時間は少なめにしてその分スマートフォンの利用時間を多くとることになる。そういった人はスマートフォンの利用時間が長くなるわけであるが、それはその本人が望んだ結果であり、その人の想定通り、つまり「思った通り」の結果なのである。

行動経済学とは

ここから通常の経済学では個人の意思決定について「思ったよりも」というような理想と現実の差を説明することはできないことがわかる。その原因は経済学が想定する「個人の時間に関する好みについては一定である」という仮定にある。先を見通して自分の好みに合った計画を一度立てたのであれば好みは変わらないので、それを将来にわたって完璧に計画通りに実行できる。よって、「思ったよりも」使いすぎるというような、過去の自分が立てた計画に背くような行動を説明することはできない。ではどうするのかというと、これまでの経済学が考えていた仮定を修正することが必要になる。これまでの経済学では説明できないような行動・現象を説明するために、経済学における人間像（様々な仮定）を、心理学や文化人類学などの経済学の周辺学問から得られた人間行動の知見を利用して修正して説明していこうとするのが、行動経済学と呼ばれる学問である。

行動経済学で取り入れられた、周辺学問から得られた人間行動の知見は数多く存在するが、今回は、人間の時間に対する好みは時によって変わってしまうことを表現した「現在バイアス」と呼ばれる人間の思考のクセに注目する。「現在バイアス」とはどういうものかは次節で説明する。このクセをこれまでの経済学に取り入れることによって、「思ったよりも」スマートフォンを使いすぎてしまう行動、ネット利用の理想と現実の差が生まれるメカニズムが説明できる。

行動経済学はこれまでの経済学を全否定するものとして扱われることがあるが、それはいいすぎであり、これまでの経済学を「修正」するものであると筆者は考える。[4] 今回の例では、「常に自分が最も幸せになる」選択肢を選ぶ、というこれまでの経済学の考え方には変更はない。

三　スマートフォンを「思ったよりも」使いすぎてしまうメカニズム

本節ではスマートフォンを「思ったよりも」使いすぎてしまうという現象が起こるメカニズムを、「現在バイアス」と呼ばれる人間の思考のクセを用いて説明する。

現在バイアスとは

現在バイアスとは遠い将来のことなら長期的な利益を優先して選択できるが、直近の選択では目先の利益を優先して選択してしまう傾向のことである。この傾向を理解するには以下の二つの質問に答えることが有用である。直感で答えてみてほしい。

質問一：あなたは選択肢AとBのどちらを選ぶか？

A：一か月後に三〇〇〇円もらえる。

B：一か月と一日後に三二〇〇円もらえる。

質問二：あなたは選択肢CとDのどちらを選ぶか？

C：今すぐ三〇〇〇円もらえる。

D：一日後に三二〇〇円もらえる。

解答はどうだっただろうか。質問一ではBを選び、質問二ではCを選んだ人はいないだろうか。そのような解答を選んだ人がまさしく現在バイアスを持つ人である。その理由を説明する。

質問一では一か月後と一か月と一日後に手に入る利益を比べている。一日我慢をすれば一か月後にもらえる利益よりも二百円多く手に入る。Bを選んだということはより長期的な利益を優先した我慢強い選択をしたということである。質問二では質問一と同様に選択肢同士の時間差（一日）や金額差（二百円）は変わらないが、現在と将来（一日後）の選択である。Cを選んだということは二百円多くもらえるのに我慢できず、目先の現在の利益を優先した、つまりせっかちになってしまったということである。

この結果はこれまでの経済学では説明がつかないことである。先に述べたようにこれまでの経済学では人の我慢強さ（時間に対する好み）は一定であるとしていたため、質問一でBを選んだのであれば、質問二ではDを選び、逆に質問二でCを選んだのであれば、質問一ではAを選ばないと論理的ではない。

現在バイアスを用いたメカニズムの解明

ではこの現在バイアスの性質を用いて、スマートフォンを「思ったよりも」使いすぎてしまう行動のメカニズムを説明する。前節と同じく架空の高校生Aさんの例を考える。図1の(a)のように現在＝八月一日とし、九月一日の自由時間の使い方について、スマートフォンを使用するか、九月二日にある試験に向けて勉強するかを選ぶとする。前節との違いは、Aさんは現在バイアスを持っていることのみである。

八月一日時点では九月一日の利益も九月二日の利益も将来のことであるので、Aさんは我慢強い選択ができ、九月二日の利益（試験で高得点をとる）のために九月一日は勉強するという選択をする計画を立てることができる。次に一か月経過して九月一日当日になったとしよう。図1の(b)を見てほしい。ここでは九月一日＝現在となる。同じように九月一日の自由時間にスマートフォンを使用するか試験勉強をするかを決めようとすると、(a)と同様に九月一日と九月二日の利益を比べるのであるが、(a)と異なるのは、今回は九月一日の利益は現在の利益であり、九月二日の利益は将来の利益だということである。よって現在バイアスを持っているAさんは、せっかちになってしまい、九月一日はスマートフォンを使用し勉強はしないという結果になってしまう。一か月で意思決定がまったく異なってしまう。

ダイエットしようと決めてもいざダイエットを実行する日になると甘いものが我慢できずに食べてしまうことや、締め切りのある仕事に余裕をもって取り掛かろうと思っても結局締め切り間際に急いでやる羽目になることなども同様の例である。このような現在バイアスがもたらす計画倒れの行動は誰でも多かれ少なかれ経験があることだと思われる。筆者もこの原稿の執筆の際に似たような経験をしている。この原稿の執筆依頼を受けたのは締め切りの半年以上前である。その当時は余裕をもって締め切りの一か月前には書き上げるという計画を頭に思い描いていたのだが、結局、締め切り間際に必死になって執筆した。

四　現在バイアスがもたらす問題への対処法

前節では、「現在バイアス」と呼ばれる人間の思考のクセが、スマートフォンの利用時間を「思ったよりも」長くしてしまうことを説明した。本節では、この「思いがけない」行動を防ぎ、自分が過去に計画した通りの利用時間に抑えるためのコミットメントと呼ばれる方法（Strotz 1955）について説明する。[5]

コミットメントとは

コミットメントとは「縛り付けること（拘束）」という意味である。具体的には、将来の自分を、現在の自分が立てた将来の意思決定に縛り付けるということである。前節で説明したように、現在の自分にとって将来の意思決定を考える際には我慢強く、将来の利益を重視した意思決定計画が立てられるわけであるが、時がたって将来の自分がその計画を実行する時点になると、せっかちになって将来の利益よりも現在の利益を優先したくなり、計画を立て直してしまう。仮に実行する時点でせっかちになってしまっても、計画を変更できないようにあらかじめ選択肢をなくしておくということである。

例えばスマートフォンを思ったよりも使いすぎてしまうことを防ぐためには、スマートフォンを以前に決めた時間以上に使えないように、スマートフォン自体に利用制限をかけてしまうことが考えられる。具体例としてiPhoneで知られているApple（アップル）社が提供している、スクリーンタイムという機能がある。[6] この機能ではスマートフォンの利用時間帯を制限することができる。たとえばあらかじめ「二二時～七時は使用不可」と設定しておくとその時間帯は電話やあらかじめ許可しておいたアプリ以外は使用できなくなる。これを活用するとスマートフォンの使用時間を延長しようとしても時間が来ると自動的に使えなくなってしまうので、計画を変更して「思ったよりも」使いすぎるということはなくなる。

コミットメントの注意点

コミットメントは自分が立てた計画を守るための有力な手段であるが、活用するには注意点がいくつかある。第一に、あたり前のことであるが、自分が現在バイアスに陥っているという認識[7]がなければ使えない。あらかじめ自分の選択肢を狭めるという手段であるから、「自分は将来の選択であれば我慢強いが現在の選択になるとせっかちになる」という認識がなければ将来の自分のために現在のうちから選択肢をなくしておくという発想すらないということである。第二に、コミットメントは過度に強いものであったり、反対に過度に弱いものであったりすると効果が薄い。過度に強いコミットメントの例としては、思ったよりもスマートフォンを使いすぎるからといってスマートフォンを手放すというコミットメントを課す場合である。手放してしまえば使いすぎることはなくなるが、スマートフォンを一切使えない生活は、使いすぎとは別の意味で現在の自分と将来の自分のどちらも不幸にする選択になりうる。過度に弱いコミットメントの例としては、いったん狭めた選択肢を後で何のペナルティもなく復活できるような場合である。先のスクリーンタイムの例では、利用時間帯を制限する際にその制限を解除できないようにパスコードを設定することができる。しかしそのパスコードを自分が知っていれば、いつでも簡単に解除できてしまう。

よってコミットメントが効果を持つためには、家族など他者にパスコードを設定してもらう必要があるだろう。

五　おわりに

本章では、スマートフォンをはじめとしたインターネット利用に関する意思決定（どれだけの時間利用するかの決定）について、少なくない人が「理想（実際に利用する前にこれだけ使おうと決めていた時間）」と「現実（実際の利用時間）」に差が生じている事象をとりあげ、そのメカニズムと対処法について、行動経済学の観点から考察してきた。「現在バイアス」と呼ばれる人間の意思決定・思考のクセがこの問題を引き起こすこと、さらに「コミットメント」と呼ばれる、現在の自分が、将来の自分が直面する選択肢をあえて限定することで、対処可能であることを紹介した。

もちろん今回紹介したメカニズム・対処法は経済学の観点からの一つの仮説にすぎないが、人間の意思決定について考える経済学の一つの活用例を提示できたのではないかと自負している。本章が経済学に関心をもつきっかけとなれば望外の喜びである。

《註》

（1）他の機器によるインターネット平均利用時間（全年代）については、パソコンが平日五八・一分、休日三一・一分、タブレットが平日九・七分、休日一二・五分、テレビが平日八・四分、休日四・〇分である。

（2）経済学とはどのような学問かということに関しては伊藤（二〇一二）の第一章と第二章が参考になる。

（3）詳細はアセモグルほか（二〇二〇：六-八）を参照のこと。ただし彼らは事実解明的分析を事実解明的経済学、規範的分析を規範的経済学と呼んでいる。

（4）同様の主張は室岡（二〇一九：六二）でもなされている。

（5）関連して、様々なバイアスに陥った人々の行動を強制なしにその人自身や社会全体にとってよりよいものに変えていこうという、リバタリアン・パターナリズムという考え方がある。またその考えを実践するナッジと呼ばれる手段がある。詳細はセイラー・サンスティーン（二〇〇九）や池田（二〇一二）の第六章、大竹（二〇一九）の第二章を参照のこと。

（6）詳細はアップル社ホームページ「iPhone、iPad、iPod touch でスクリーンタイムを使う」https://support.apple.com/ja-jp/HT208982を参照のこと。

（7）現在バイアスを持つ人のうち、「自分が現在バイアスを持つ」ということをあらかじめ認識できている人のことを「ソフィスティケイト（Sophisticated）」、認識できていない人のことを「ナイーブ（Naive）」と呼ぶ（O'Donoghue and Rabin 1999）。この二つのタイプの違いが行動にもたらす影響の違いについては池田（二〇一二）の第四章を参照のこと。

〔引用文献〕

アセモグル、D／レイブソン、D／リスト、J・A（二〇二〇）『アセモグル／レイブソン／リスト 入門経済学』岩本康志監訳、岩本千晴訳、東洋経済新報社。
アップル社ホームページ「iPhone、iPad、iPod touch でスクリーンタイムを使う」https://support.apple.com/ja-jp/HT208982（最終閲覧日：二〇二一年九月二〇日）
池田新介（二〇一二）『自滅する選択』東洋経済新報社。
伊藤秀史（二〇一二）『ひたすら読むエコノミクス』有斐閣。

大竹文雄（二〇一九）『行動経済学の使い方』岩波新書。

セイラー、R・H／サンスティーン、C・R（二〇〇九）『実践行動経済学─健康、富、幸福への聡明な選択─』遠藤真美訳、日経BP社。

総務省情報通信政策研究所（二〇二一）「令和2年度　情報通信メディアの利用時間と情報行動に関する調査」https://www.soumu.go.jp/iicp/research/results/media_usage-time.html（最終閲覧日：二〇二一年九月二〇日）。

室岡健志（二〇一九）「行動経済学：人の心理を組み入れた理論　vol. 1 行動経済学への招待」『経済セミナー』七一〇号。

Samuelson, P. A.（1937）"A note on measurement of utility," *The Review of Economic Studies*, 4(2), 155-161.

Strotz, R. H.（1955）"Myopia and inconsistency in dynamic utility maximization," *The Review of Economic Studies*, 23(3), 165-180.

O'Donoghue, T., & Rabin, M.（1999）"Doing it now or later," *American Economic Review*, 89(1), 103-124.

第４章
スマートフォンと社会調査の世界

吉村《よしむら》　治正《はるまさ》

一　はじめに

社会に住む個々人から聞きたい情報をリストアップし、これを一つ一つ文章の形にして紙に印刷しあるいは口頭で調査対象者に聞き、その回答を記録していくことで情報を取得していく方法を、政治学では世論調査といい、社会学では社会調査といい、社会心理学では質問紙調査という。それぞれ呼び名は異なるが実質は同じで、このようにして集めた情報を分析することで社会科学は成立する。正確な情報が得られれば、より詳細な社会事象が明らかになる。反対に、もしも情報が不正確であったり間違っていたりすれば、社会の正しい姿はわからなくなる。社会調査は、いわば社会科学の根底を支える技術である（吉村二〇一七）。

ところがこの社会調査の世界に、今日、大きな変化が起きている。つまりインターネットを用いた社会調査が急速に普及しているのである。社会の変化に伴って様々な物事が変わっていくのは当然であり、二一世紀に入って急速に普及したインターネットを社会調査に導入することにもなんらおかしなところはないように思われる。だが、インターネットを用いた調査（ウェブ調査）はこれまでの社会調査とは異なった結果を示すことが少なくない。同じ時に同じ対象に対して同じことを聞けば、同じ回答が得られるはずである。もしもウェブ調査とこれまでの社会調査の結果が合致しないのであれば、このどちらかが不正確あるいは偏っていると考えるのが普通である。だが、非常に厄介なことに、このどちらが偏っているのか、それはどのような理由によるのか、実はほとんどわかっていない。そのため、方法によって異なる結果が出てきても、そのどちらを信用していいのかわからない。このような、非常に困った問題が発生しているのである。

二　ウェブ調査への着目と問題点

ウェブ調査の試行は二一世紀に入ることから始まる。ただ、この当時はインターネットを使える人口がごく限られていたため、調査対象も大学生などに限られていた。これを一般人口に広げ、旧来的な社会調査の代替にしようという試みが二〇〇五年ぐらいから始まる。たとえばＮＨＫ放送文化研究所は二〇〇六年に、内閣府は二〇〇七年に同じ内容の項目を旧来的な方法の社会調査とウェブ調査とで調べて結果が合致しているかどうか検証する実験を行っている。ＮＨＫ放送文化研究所の実験は、食生活や料理をテーマとした調査で行われたが、このときは大半の項目では旧来的な社会調査法（この実験では留め置き法）とウェブ調査との差は誤差の範囲に収まった、つまり差が見られなかった（諸藤 二〇〇七）。ただ、統計学的に有意な差があると認められた項目が約一三％程度あったという。この中で目を引くのが、家族の人間関係についての質問で、「ふだんの暮らしの中で、家族のことと自分のこととどちらを優先したいか」という問いかけに対し、自分を優先する（「自分のこと」、「どちらかといえば自分のこと」の合計）と答えた割合が旧来的な社会調査法では三六％なのにウェブ調査では四九％と、ウェブ調査の方が自己中心的な回答が多いところである。

内閣府の実験では、旧来型の訪問面接による社会調査の結果とウェブ調査の結果ではっきり表れてきた差として、生活の程度についての項目が指摘されている（片山 二〇〇八）。つまり旧来型の社会調査と比べ、ウェブ調査の回答者には自身の生活水準を「中の下・下」と答える割合が高い。また、それ以外でも生活の充実感や自由時間の使い方にも差が見られる。ただし、どのような項目で差が現れ、どのような項目で差が現れないかが予測できない。たとえば自由な時間の使い方について、「ショッピングをする」「知人や友人と過ごす」「運動やスポーツに打ち込む」などといった項目を選んだ人の割合には差がないのに、「家族団らんで過ごす」「旅行に行く」などの項目を選ぶ割合には大きな差が見られるという。また、もっともはっきりとした差が現れた生活の程度についての項目を基準にして統計学的な補正を施しても、やはり個別の項目での差は残る。こうした研究事例はほかにもいくつかあるが、そのいずれでも、ウェブ調査と旧来的な社会調査との間で無視できない差が観察される項目が現れていることが報告されている。

三　背景にある社会調査法の問題点

これまでの社会調査の主たる方法は、訪問面接・電話・郵送のいずれかであった。訪問面接調査とは、調査員と呼ばれる人々が調査対象者のもとを訪問し、調査対象者となった人々と直接対面して口頭で質問をし、回答する側も口頭で回答し、それを記録、集計するという方法である。社会科学の領域でいえば社会学がこれを好み、また政府の行う主要な統計調査（国勢調査を含む）も、この訪問面接法を基本としている。これに対し政治学者やマスメディアが世論調査と呼ぶ方法は電話法、つまり調査対象者の自宅に電話をかけて電話で回答を求める。郵送法は調査対象者に質問を一覧にした調査用紙（調査票）を郵便で送りつけ、調査票に回答を記入して郵便で返送してもらう方法で、一部の社会学者や社会心理学者の間で用いられてきた。近年は特に市町村などの行う住民意識調査や国勢調査でも郵送法の導入が進んでいる。ただし、これらの調査法で正確な情報を入手するためには、様々なノウハウが必要とされる。たとえば、どれぐらいの人数の調査対象者に聞けばどれぐらい正確な情報が得られるのか。訪問面接法では調査対象者をどうやって説得していくのか。特定の地域に偏らないようにどうやって電話番号を特定していくか。郵便で調査するときは、調査対象となる人にどのような文面の手紙でお願いすればいいか。回答への謝礼は何を用意すればいいのか。正確な情報を得るためのこうしたノウハウは、五〇年以上をかけて繰り返し社会調査を行っていく中で少しずつ蓄積されてきた。

ところが、これだけの時間と労力をかけて膨大なノウハウを蓄積してきたにもかかわらず、今日、研究者は旧来的な社会調査法から離れていこうとしている。これには理由がある。つまり旧来的な社会調査は、これまでになく実施が難しくなってきているのである。社会調査には、標本抽出台帳、つまり研究の対象となる人口をできるだけ漏れなく把握したリストが必要になる。日本の社会調査では、これまで住民基本台帳や選挙人名簿を標本抽出台帳として用い、ここから実際に協力を依頼する対象者（標本）を抽出することが行われてきた。これらは人口をかなり正確に把握しており、訪問面接調査や郵送調査では、これを用いることで偏りのない標本抽出が実現できていた。ところが二〇〇六年に法律が改正され、純粋な学術研究などの一部の例外を除き、標本抽出台帳としての利用は認められなくなった。マスメディアなどが電話調査を行うときはＲＤＤ（Random Digit Dialing）つまり機械を使って無作為に電話番号を作成していたが、近年はそもそも固定電話を保有する世帯の割合が低下し、電話で母集団を偏りなく網羅することができなくなっている。また、訪問面接でも電話でも郵送でも、調査に協力してくれない人の割合が増え、コストパフォーマンスの低下だけでなく、調査した結果に偏りが生じているのではという疑いがぬぐえなくなっている。これらは社会調査を実施する側にとってはきわめて深刻な問題で、数多くの研究者が対応を探っているが、根本的な解決策はまったく見えていない。

　ウェブ調査は、これらの問題を解決してくれるように映る。学術研究上の理由で行われる一部の例外を除き、一般的なウェブ調査は、専門の業者がインターネット上での宣伝などを通じて回答してくれる人（モニター）を募り、これをプールしておいて、社会調査実施の委託を受けた時に、これらのモニターに対して調査を実施するという方法をとる。これは専門用語で opt-in panel survey と呼ばれ、日本だけでなく世界中で行われているウェブ調査のほとんどがこのタイプである。この方法は、標本抽出つまり標本抽出台帳から実際に協力を依頼する個々人を特定する作業が必要ない。また、事前に協力してくれると言った人だけに依頼をするので、協力するしないでトラブルになる心配もない。さらには、調査対象者への依頼も電子メールで一斉送信するだけなので、作業が迅速かつ安価に行える。つまり、これまでの社会調査法が直面してきた標本抽出台帳の入手困難や回答拒否などの問題を回避することができる。これは、旧来的な社会調査の実施困難に悩む研究者にとっては、非常に魅力的に映る。

　ただし、これは社会調査の直面する諸問題を解決できたわけでなく、解決できたように見えているだけである。標本抽出をしないために標本抽出台帳が必要ないというのは事実だが、そもそもどういう人がモニターに応募してきたかがわからない。インターネットが使えるということはわかっても、どういうサイトを見ていてモニター募集の広告を見つけたのか、どのような理由でモニターに登録したのか、たとえば謝礼が目当てなのかそれとも興味本位なのか、自分で広告を見つけたのか、それとも誰かに誘われたのか、果たして社会の全体を反映しているといってよいのか。現在のウェブ調査のやり方では、こうしたことがまったく判断できない。また、いくら自分から協力するといってモニター登録しても、実際には全員がすべての社会調査に答えてくれるわけではない。頻繁に答えてくれる人もいるし、登録はしても実際にはまったく答えてくれない人も多い。回答してくれるモニターと回答しないモニターの違いがどこで生まれているかもわからない。これら、わからないことが多すぎて、果たしてウェブ調査の結果を信用していいかとまどってしまう。

四　ウェブ調査の偏りの検証

ウェブ調査が偏っているとしたら、どこで偏りが生じているのか。これについては、偏りを生み出す可能性のある要因を予測し、それを一つ一つ検証していく必要がある。よく指摘されるのは、標本抽出法の違いと回答インターフェイスの違いである。旧来の社会調査法は、実際に誰から情報を得るかを標本抽出台帳から選んでいた。したがって調査される人は、自分が調査されるということは事前にはわからない。ところがウェブ調査の場合は、インターネットに掲載された宣伝に応じて自発的にモニターになると決めた人に聞いている。つまりウェブ調査の調査対象者は、自分自身で回答者になることを選択している。この標本抽出法の違いが回答の差を生んでいる可能性がある。またもう一つの可能性として、インターネット上の画面から見るのと紙に印刷された質問を見るのとでは、あるいは口頭で質問されるのでは、印象が変わってしまい、その結果として答えの内容が変わってくるのではないかと考えられる。

実際に、これを検証してみよう。まず標本抽出法の影響について調べるために、旧来的な社会調査と同じ標本抽出台帳から同じ方法（無作為標本抽出）で抽出した調査対象者とウェブ調査の業者にモニター登録している調査対象者とで、回答の違いがあるかを調べればよい。これは先述のＮＨＫ放送文化研究所や内閣府と同じ方法で、ほかにもいくつか事例がある。ここでは筆者らが行った事例をあげる。筆者らは二〇一六年に関西圏で外国に対する意識調査を行った。この調査では学術調査で標本抽出台帳としてもっとも一般的に使われる住民基本台帳から一二九四人を抽出し、これらの対象者にインターネット上で社会調査へ回答してくれるように依頼した。この同じ時期に、ごく一般的なウェブ調査事業者にまったく同じ内容のウェブ調査を同じ関西圏に限定して実施するように委託した。一般的に、ウェブ調査事業者は何人のモニターに回答を依頼して何人が答えてくれたかという数値、つまり回答率は公表しない。ただ指定した人数分の回答がデータとして渡されるだけである。

この実験では予想外の事実がいくつか明らかになった。まず、インターネットで回答してもらうという方法は、好まない人が多い。筆者らはよく郵送による学術調査を行うが、おおむね回答率は五〇から六〇%程度である。ところがインターネットで回答を求めたこの調査の時は、回答率はわずか二一%、郵送法の半分にも満たない。つまり基本的にウェブ調査は効率の悪い調査法であることがわかった。しかもこの回答率の低さは、インターネットを使わない人が多いという理由によるものでもない。このときはインターネットで回答してくださいと依頼したが、インターネットではなく郵送で回答したいとわざわざ申し出てくれた人がいた。これらの人々には郵便で調査票を送り改めて返送してもらったのだが、これが八〇名にものぼる。ところが、このうちインターネットを使わないからという理由で郵便での回答を申し出たのはわずか二〇%、つまり残りの八〇%の人は、インターネットを使っているけれども郵便で答えたいとわざわざ連絡をくれたのである。これは、ウェブ調査のモニターの構成を考える上で重要な論点となる。

さて回答の内容を比較してみる。ここでは外国に対する親しみについての質問を用いる。近年、日本が保守化しているとよくいわれるが、諸外国、特に近隣のアジア諸国に対する親近感が低下しているという指摘がなされている。これは内閣府の行う「外交に関する世論調査」でもたびたび言及されているのだが、このときに使われる「あなたは中国に親しみを感じますか」「あなたは韓国に親しみを感じますか」という二つの質問をしてみた。中国、韓国ともに、登録モニターの方が諸外国に対して強い態度を明らかにする割合が高い。たとえば中国に対しては、「親しみを感じる」割合は登録モニターも旧来的な方法による場合でも二%以下で、非常に少ない。「どちらかというと親しみを感じる」という割合も八%ほどで差がない。はっきりしているのは「あまり親しみを感じない」と「親しみを感じない」という

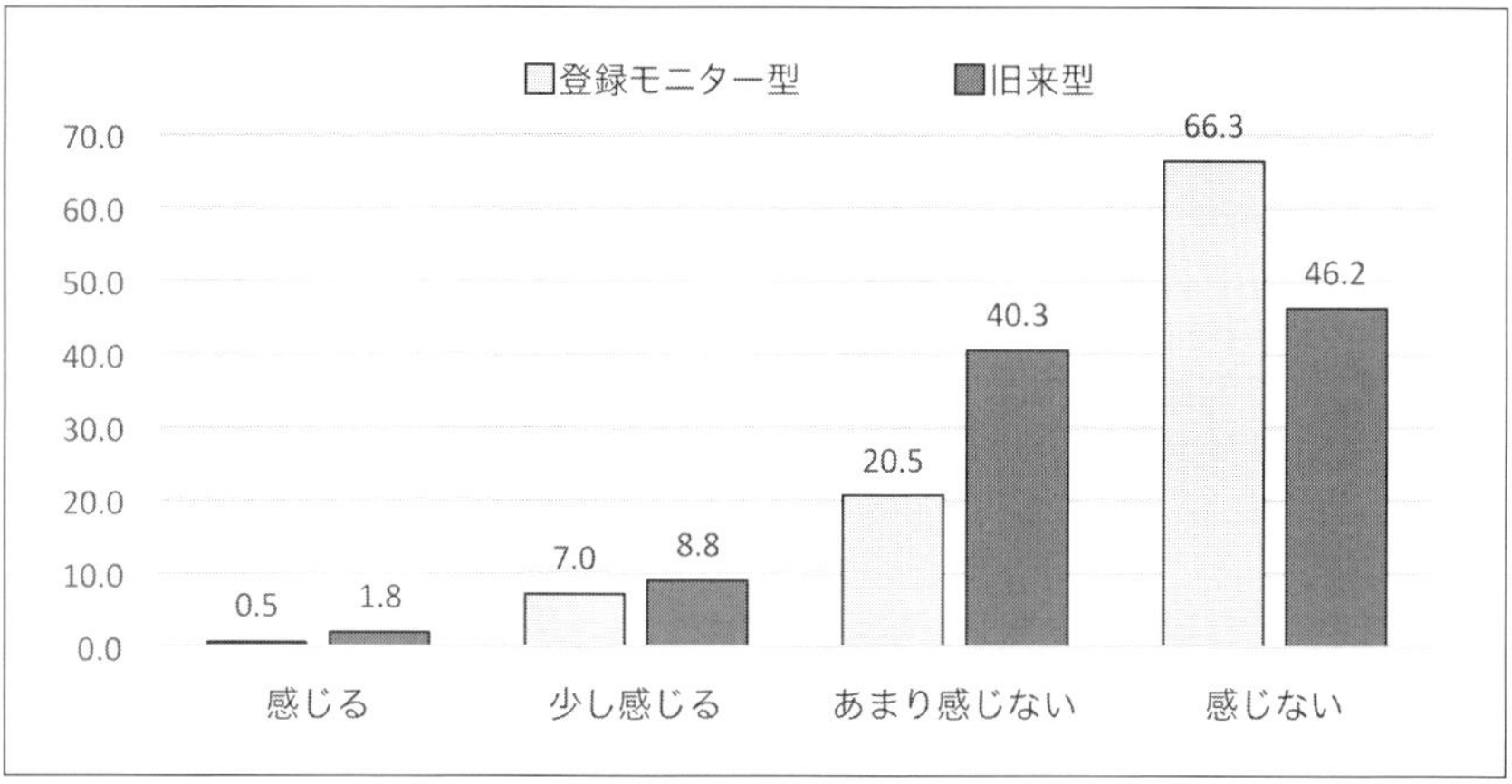

図1　「中国に親しみを感じる」割合、標本抽出法別 (%)

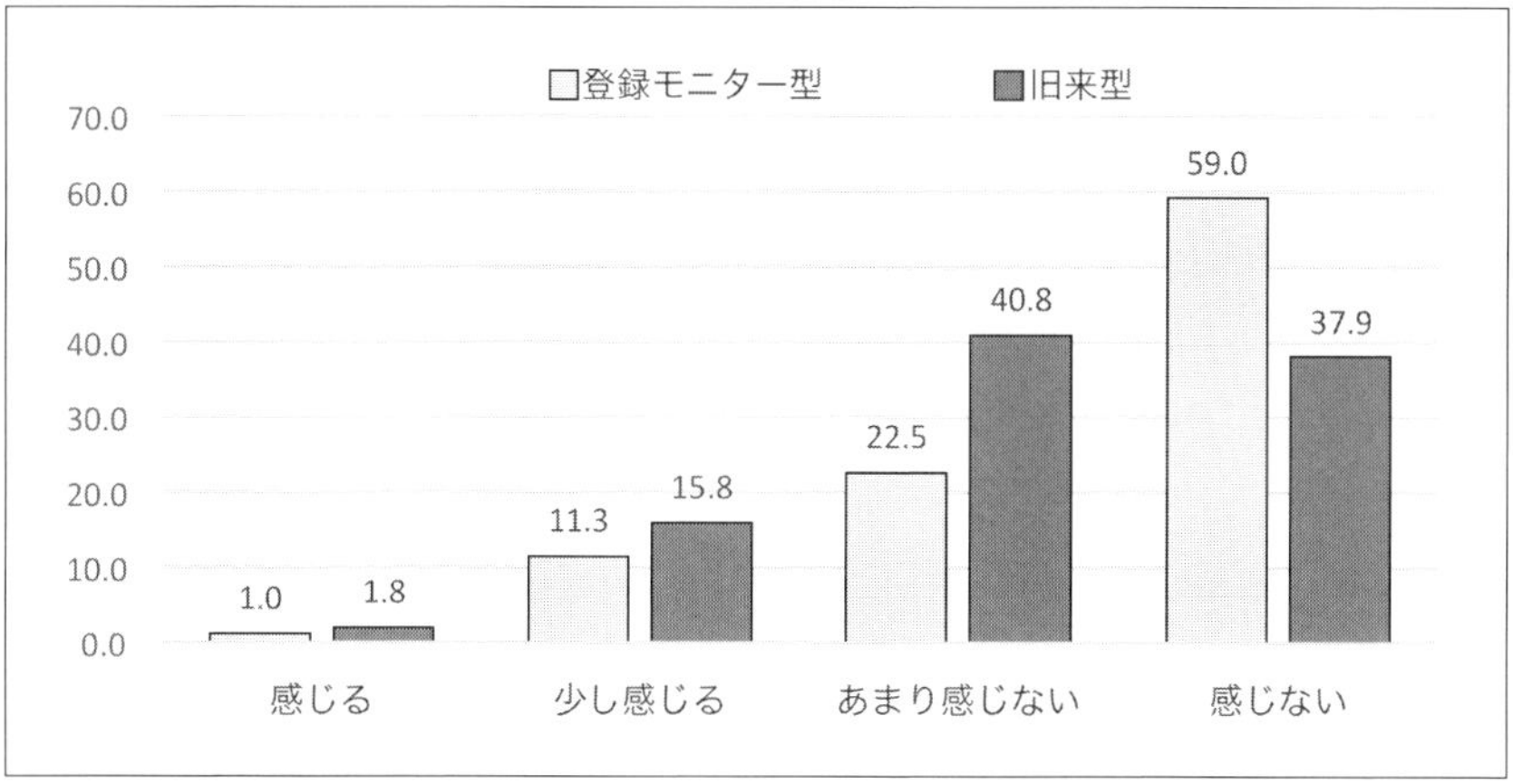

図2　「韓国に親しみを感じる」割合、標本抽出法別 (%)

割合の違いである。中国に対して「感じない」と強い態度を明らかにした割合は、旧来的な方法で選ばれた対象者のうち四六%、ところが登録モニターだと六六%に達する（図1）。これは韓国についてもまったく同じで、韓国に対して「親しみを感じない」と強い態度を示した割合は、旧来的方法の回答者の三八%に対して登録モニターでは五九%と、大きな差が出ている（図2）。つまり標本抽出の方法

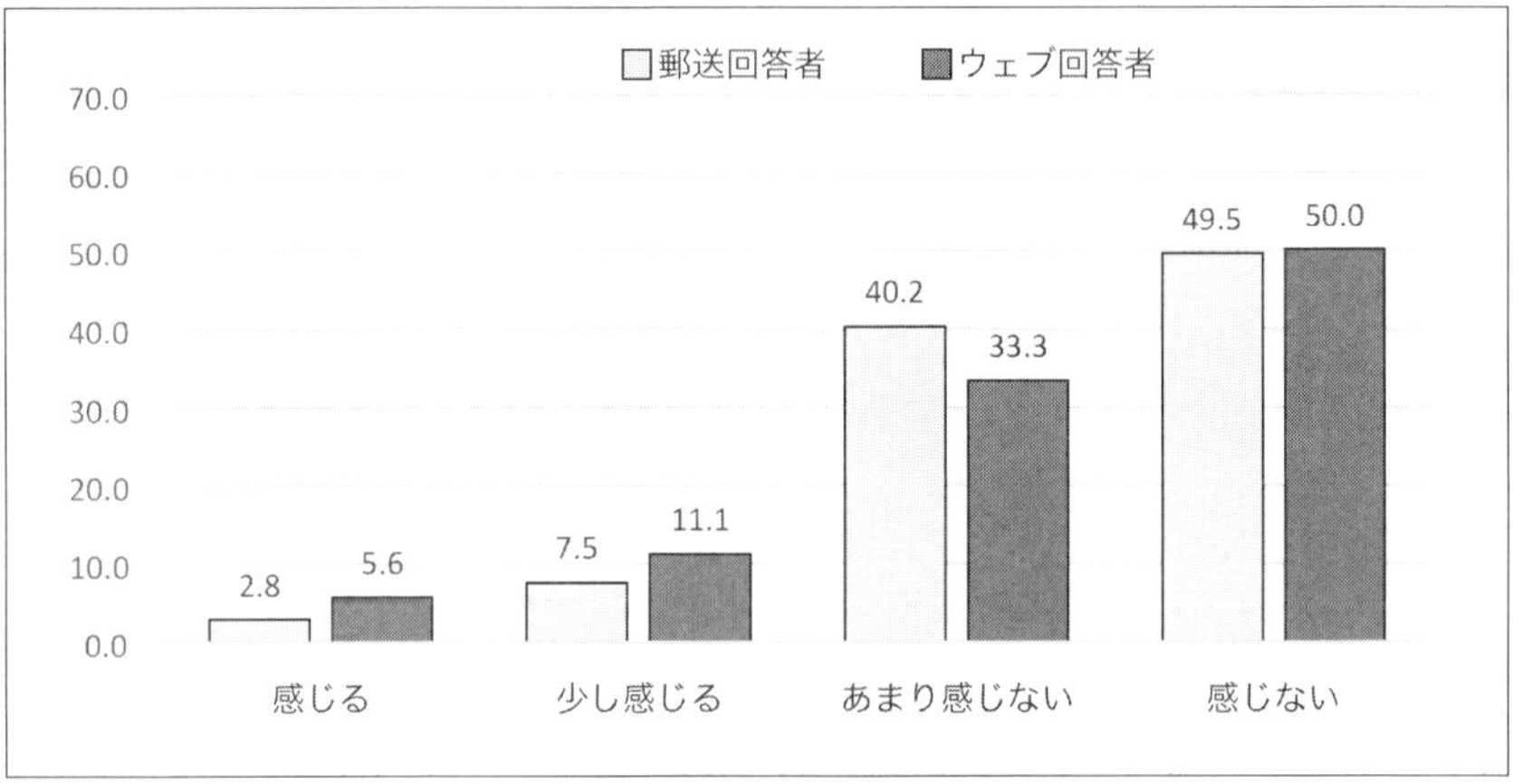

図3　「中国に親しみを感じる」割合、回答方法別（%）

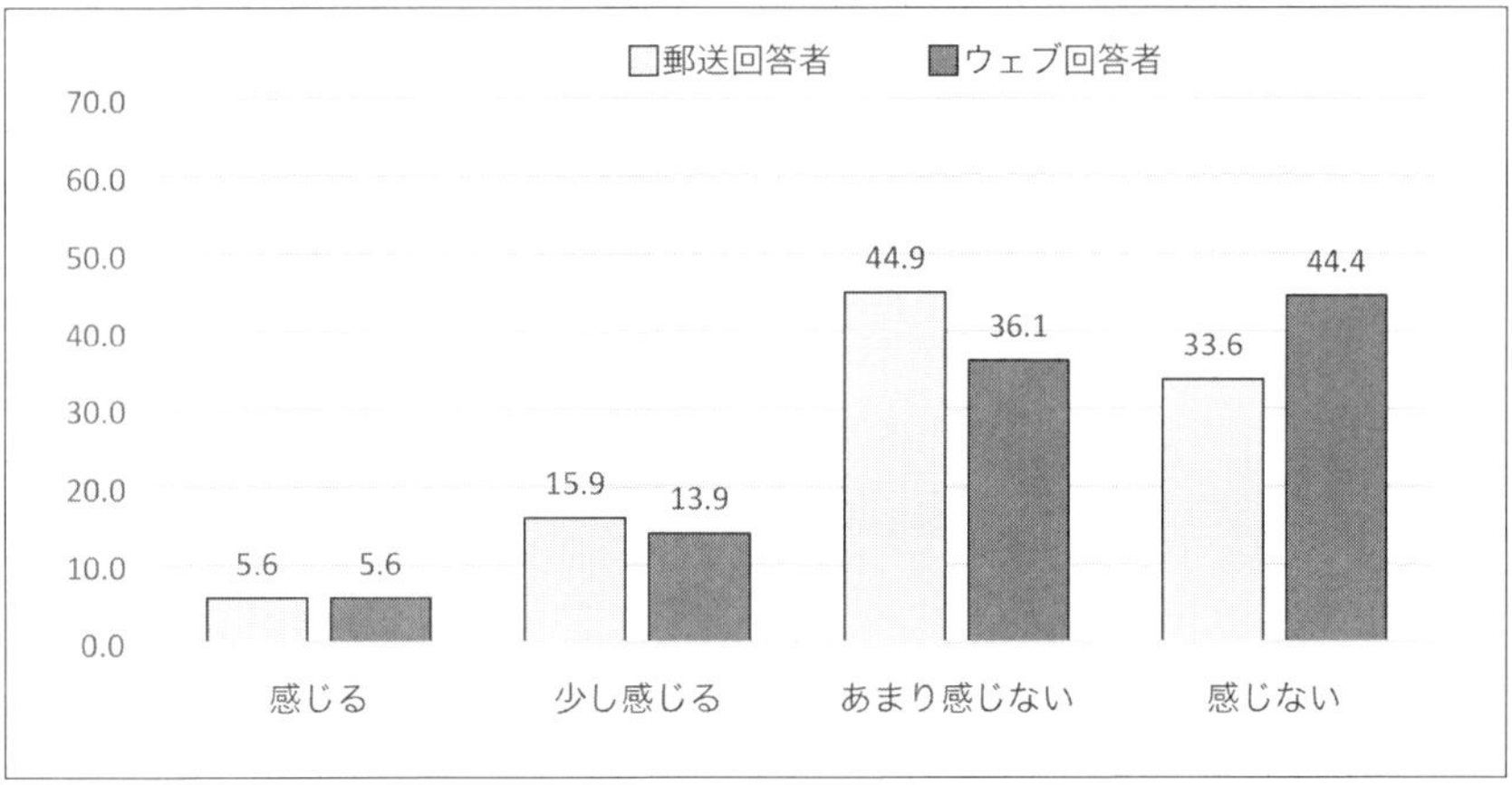

図4　「韓国に親しみを感じる」割合、回答方法別（%）

が違うことで回答の内容に差が現れることが確認された。

もう一つの論点、つまり回答のインターフェイスの違いが結果の差を生み出しているという可能性については、これまでも海外で何度も指摘されている。これを検証したのが、やはり筆者らが行った二〇二〇年の地域調査である。このときは同じく住民基本台帳から無作為に抽出した五一三名に、ウェブでも郵送でもどちらでもいいので回答してくださいと依頼した。この依頼に対してウェブで回答したのが八七名、郵便で回答したのが二一三名となった。この両者を比べたところ、回答の差はほとんど見られなかった。たとえば同じ「中国に親しみを感じますか」という質問に対して「親しみを感じない」と強い意見を示した割合は郵送回答者で五〇％、ウェブ回答者で五〇％（図3）、「韓国に親しみを感じますか」という質問で「親しみを感じない」という回答の割合は、郵送回答者で三四％、ウェブ回答者で四四％となった（図4）。ちなみに、韓国についての一〇％の違いは、統計学的には誤差の範囲に収まる。つまり、回答インターフェイスの違いが結果の差を生み出すということは、どうやら起こっていないといえる。

五　これからの社会調査

スマートフォンによって、インターネットの世界に接する人は急速に増えた。ニュースや映画を見るだけでなく、ショッピングも友達と遊ぶのもインターネットで行える。なにしろ学校の授業も税金の支払いもインターネットで行われている時代である。これまで人の手作業で行っていた社会調査もインターネットを使って行われるようになるのは、当然の流れといえよう。実際、インターネットを使った社会調査（ウェブ調査）はこの数年で急速に普及しており、民間企業の顧客満足調査だけでなく、国勢調査をはじめ国や地方自治体が行う政策目的の調査も学術研究の社会調査も次々にウェブ調査へと移行が始まっている。だが、このウェブ調査への移行にはいまだ解決されていない技術的問題が多い。概してウェブ調査では、社会に対して批判的で自己に対して否定的な方向に回答が偏るという一般的な傾向がみられるという（萩原　二〇〇九）。しかも、非常に厄介なことに、具体的にどのような質問項目でどのように回答が偏るかを予測することは、現段階の社会調査の技術では、きわめて難しい。こうした問題点に気づかないままウェブ調査に移行させると、社会に対する大きな誤解を生む可能性がある。本稿でとりあげた例でいえば、諸外国に対して冷たい態度を持つ人が急に増えたといわれたら、どう思うだろうか？　実際の人々の考え方や態度が変わっていなくても、調査の方法が変わるだけで、こういうことが起こってしまうのである。ウェブ調査への移行は、慎重に行わなければならない。

【謝辞】本稿で言及した調査は、ＪＳＰＳ科研費15K03827ならびに18H00940の助成を受けて行われた。

〔引用文献〕

片山朗（二〇〇八a）「インターネット調査と訪問面接調査の比較分析①」『統計』二〇〇八年七月号。

片山朗（二〇〇八b）「インターネット調査と訪問面接調査の比較分析②」『統計』二〇〇八年八月号。

萩原牧子（二〇〇九）「インターネットモニター調査はどのように偏っているのか」『Works Review』リクルートワークス研究所、第四号。

諸藤絵美（二〇〇七）「ウェブ調査の特性を探る」『放送研究と調査』ＮＨＫ放送文化研究所、一一月号。

吉村治正（二〇一七）『社会調査における非標本誤差』東信堂。

第5章

スマートフォンと企業間国際競争の世界

尾上《おのうえ》　正人《まさと》

一　世界市場で戦えなくなった日本の製品

あなたは今、どんなスマホを使っているだろうか。アップル社のiPhone（アイフォーン）だという人が多いのではないか。日本はiPhoneユーザーの割合が、世界でも飛び抜けて多い地域である（シェアが六割近くもある）。

世界市場では、iPhoneのシェアはこれほど高くはない。アンドロイドのスマホの方がiPhoneよりも多く使われていて、中でもギャラクシー・ブランドで知られる韓国のサムスン電子のスマホが世界シェア首位で二〇%程度、iPhoneは第二位に甘んじている（シェア一五%程度）。第三位には中国のシャオミ（小米）が入る。数年前は中国のファーウェイ（華為技術）のスマホがiPhoneと世界二位争いを演じていたが、米国を中心とする西側諸国の規制が強まった影響により、現在は順位を落としている。

いや、あなたはもしかすると、日本製スマホのユーザーかもしれない。ソニーのエクスペリア、シャープのアクオスのほか、富士通、パナソニック、京セラなどもスマホを製造している。日本製は品質が安心だからと、使っている人もいるだろう。

しかし、世界市場に再び目を向けてみると、日本製のスマホはまったく存在感がないのである。最も売っているソニーですら、二〇二〇年時点で世界シェアは〇・一%ほどで、日本国内のシェアが七%台なのに比べて大変小さい。他の日本製スマホの世界シェアはほとんどないといってよい。毎日のようにエクスペリアやアクオスのテレビCMに触れている日本国民からすると、かなり意外なことかもしれない。

実はこうした傾向は、スマホだけの話ではない。様々な製品の世界シェア上位をまとめた**表1**を見ていただきたい。エアコン、掃除機、パソコンなど、日本国内の多くの家庭や企業で使われている日本製品は、海外ではまったくシェアが取れていない。例外は、自動車、家庭用ゲーム機、デジタルカメラくらいのものである。

かつては、日本製の家電製品が世界を席巻した時代があった。

表1　主な耐久消費財の世界シェア

	首位（%）	2位（%）	3位（%）
スマートフォン	サムスン電子（20.0）	アップル（15.8）	小米（11.5）
スマートスピーカー	アマゾン（30.0）	グーグル（22.0）	百度（14.0）
パソコン	レノボ（23.8）	HP（22.4）	デル（16.6）
テレビ	サムスン電子（31.0）	LGエレクトロニクス（19.0）	**ソニー（9.3）**
家庭用エアコン	珠海格力電器（20.1）	美的集団（19.3）	海爾集団（12.4）
家庭用掃除機	ダイソン（32.0）	エレクトロラックス（15.1）	iRobot（13.9）
自動車	**トヨタ自動車（12.9）**	フォルクスワーゲン（11.4）	**ルノー日産三菱（9.3）**
電気自動車（EV）	テスラ（21.0）	上海汽車集団（11.3）	フォルクスワーゲン（10.5）
デジタルカメラ	**キヤノン（47.9）**	**ソニー（22.1）**	**ニコン（13.7）**

※ 2021年データ（家庭用掃除機のみ2019年）　太字は日本企業、またはそれに準ずる企業
出所）日経産業新聞他

たとえば薄型テレビ（現在主流の液晶テレビ以外に、プラズマテレビ等も含む）に関していうと、ほんの一五年ほど前、二〇〇〇年代の前半までは、パナソニック（当時は松下電器産業）、ソニー、シャープの製品が世界で覇を競っていたのである。それが、サムスンや中国企業などが仕掛けた低価格攻勢や二〇〇八年に起きたリーマンショック（世界金融危機）の影響により、一気に世界シェアを落としてしまった（それだけでなく、テレビに社運を賭けていたシャープは深刻な経営危機に陥って、台湾企業の傘下に入ることを余儀なくされた）。

「ガラパゴス化」現象

こうした、日本国内で有力なメーカーの製品が世界で戦えなくなった事態のことが、「ガラパゴス化」という、あまりありがたくない言葉で説明されることがある。聞いたことがある人もいるだろう。ダーウィンが進化論を思いつくヒントになったガラパゴス諸島で、島ごとに生き物が独自に進化していったように、日本という四方を海に囲まれた島国で設計や機能が独自に進化を遂げた製品が、世界市場ではニーズや価格がマッチせずに売れなくなってしまったことをガラパゴス化というのである。スマホの登場以前には誰もが持っていた折りたたみ式の「ガラケー」は「ガラパゴス携帯電話」の略で、本当は「フィーチャーフォン」というのだが、こうしたやや自虐的な意味が込められた呼び名が定着してしまった。ちなみに最近、スマホの世界シェア首位のサムスン電子が、この日本のかつてのガラケーによく似たタテに折りたたむ形式のスマホを「ギャラクシー・フリップ」として売り出して（フリップは「ひっくり返す」の意）、世界で相当の人気を博しているようで皮肉である。ギャラクシー・フリップはガラケーに似ていながら、ガラパゴス化していないわけである。

二　iPhoneを分解して現れる日本企業

ここまで読んできたあなたは、日本企業・メーカーの将来に対して暗いイメージしか持てないかもしれない。スマホなど主要な先端分野の製品で世界と戦えなくなった日本企業はもはや落ちこぼれ的存在であり、ガラパゴス化して国内市場だけに向けて製品を売って細々と食いつないでゆくしかないような印象を持ったかもしれない。

ところが、iPhoneをこじ開けて分解してみると、これまで述べてきたのとはかなり異なった日本企業の姿が見えてくるのである。iPhoneは、米国カリフォルニア州のシリコンバレーに本社を置くアップル社の製品ではあるが、実はアップル社は自前ではあまり生産をしていない。iPhoneの背面を見ると、小さな字で「Designed by Apple in California, Assembled in China」等と刻印されている。「アップルによりカリフォルニアでデザインされ、中国で組み立てられた」という意味である。実際、iPhoneのほとんどの機種は、台湾に本社を置くフォックスコン（富士康科技集団）という会社の、中国大陸での生産拠点で組み立てられている。

ではその、組み立てられるiPhoneの部品はどこで、誰が作っているのか。表2を見ていただきたい。ソニー、シャープ、村田製作所、ＴＤＫ、東芝など、名だたる日本企業が名を連ねているのがわかるだろう。これは約一〇年前に発売されたiPhone4, 4sのデータで、部品のシェアで日本企業が過半数を占めていた（今はこれほど高くはなくなっているが、それについては後で述べる）。特に、「イメージセンサー」と呼ばれるiPhoneの小型カメラ部品は今もソニーが一社で供給していて、これがなければiPhoneを使った高精細な美しい写真は撮れない。これも皮肉なことだが、ソニーの技術の結晶であるスマホのカメラは、ソニー自身のスマホであるエクスペリアよりもはるかに多くiPhoneに搭載されて、（ソニー製であるとはあまり知られないまま）世界中で愛用されているのである。

　iPhoneに限った話ではない。iPhoneのライバルであるサムスンのスマホ・ギャラクシーなどでも同様に、日本企業の製造した部品が多く使われている。日本製のスマホは世界でまったく売れていなくても、世界で使われているスマホの部品における日本企業の存在感はかなり大きいのである。日本企業が作る様々な部品がなければ、かのカリスマ経営者・故スティーブ・ジョブズも、スマホを世に送り出すことは不可能だったといっても過言ではないだろう。

表2　iPhone4,4sに採用されていた日本製品

積層セラミックコンデンサー	村田製作所, TDK
タンタルコンデンサー	NECトーキン
バッテリー	TDK, ソニー
コイル	TDK, 村田製作所
基盤コネクター	第一精工
基盤	イビデン
基盤塗装	タムラ製作所
無線LANモジュール	村田製作所
小型カメラ	ソニー
水晶部品	エプソントヨコム
フラッシュメモリー	東芝
電子コンパス	旭化成
電源IC	リコー
DRAM	エルピーダメモリ（当時）
液晶パネル	東芝モバイルディスプレイ, シャープ

出所）日経産業新聞

三　「準日本製」のボーイング旅客機

　少し話はそれるがもう一つ、スマホによく似た例を挙げておこう。「ボーイング７８７ドリームライナー」という、二〇一一年から運航が開始された新鋭旅客機がある。ボーイング社は、米国西海岸のシアトルに本社がある世界ナンバーワンの航空機メーカーだが、この会社もアップルにちょっと似ていて、自前ではあまり部品を作らないで、組み立て工程に特化している。部品のうち自社で作る割合のことを内製率というが、ボーイング社はだいたい三割程度とされている。

　このボーイング７８７の部品製造には実に全世界で約九〇〇社が参加したといわれていて、そのうち日本企業の担当した割合は過去最大の約三五％にも及んでいる。具体的には、機体重量の半分以上が、とても軽くて強度は鉄の十倍という炭素繊維（カーボンファイバー）から成り、それを製造・供給しているのが、かつての化学繊維メーカー・東レである（表３の炭素繊維の項も参照されたい。今日では、飛行機や自動車のボディを繊維メーカーが造ることがだんだん増えてきている）。

　また、三菱重工業が非米国企業として初めて主翼を担当した。ここには、先ほど述べたソニーのスマホ・エクスペリア以上の皮肉がある。三菱重工業は、かつて名機と称えられた国産プロペラ機「ＹＳ11」が二〇〇六年に引退して以降、「国産旅客機の夢」を再び実現すべく、国産ジェット機（ＭＲＪ、後にスペースジェット）の製造・販売に邁進《まいしん》してきた。だが、思うように売り上げが伸びず、コロナ禍の二〇二〇年秋にこの事業は事実上凍結されてしまった。しかし、三菱重工業の造った主翼はボーイング

７８７に組み込まれて、「世界の翼」となっているのである。

東レと三菱重工業以外にも、川崎重工が前方胴体・主脚格納庫、富士重工が中央翼、ＩＨＩ（石川島播磨重工業）がエンジン部品、島津製作所が制御システム部品、ＧＳユアサがリチウムイオン電池を担当するなど、ボーイング７８７の製造における日本企業の存在感は際立っている。この新鋭旅客機が「準日本製」ともいわれているゆえんである。

四　ＢtoＣ企業とＢtoＢ企業

さて、「ＢtoＣ企業」と「ＢtoＢ企業」という分類の仕方を、ご存じだろうか。ここでＢは「ビジネス」、Ｃは「カスタマー（顧客）」を指す。したがって、ＢtoＣ企業とは、カスタマーである最終消費者に対して製品を製造・販売する企業のことである（対個人消費者サービス企業ともいう）。これに対して、ＢtoＢ企業とは、ビジネスに対してビジネスをする企業、つまり、企業に対して製品を製造・販売する企業のことである（対事業所サービス企業ともいう）。部品や素材関連の企業が、ＢtoＢ企業の典型例である。

先ほどから出ているソニーやパナソニックのほかに、明治乳業、日産自動車、花王、江崎グリコなど、おそらくあなたは、日本のＢtoＣ企業の名前をいくらでも挙げることができるだろう。ＢtoＣ企業は最終消費者（カスタマー）であるわれわれに向けて製品を作り、またテレビなどで日々その製品のＣＭを流しているため、一般的な知名度が高いからである。これに対して、ＢtoＢ企業の例を挙げるのはなかなか難しいのではなかろうか。それは、BtoB企業がもっぱら他の企業向けのビジネスをしていて、普段は最終消費者であるわれわれの目に触れることが少ないからである。

下請けだけではない日本のBtoB企業の強さ

それでも、「下請け」「系列」といった言葉は聞いたことがあるだろう。たとえば、現代の自動車は約一万点の部品からなるといわれるが、その多くはトヨタや日産、スズキといった自動車メーカーが自前で作っているのではなく、より規模の小さな企業の工場で作られ、それらの自動車メーカーに納入されている（先ほどの、内製率の低いボーイング社と似ている）。したがって、下請け・系列企業もその大多数はBtoB企業であり、自動車産業に典型的なように、日本経済を支えるいわば「縁の下の力持ち」である。

しかしBtoB企業は、そうした下請け・系列企業ばかりではない。表3では、BtoB分野で、日本企業が特に高い世界シェアを誇っている例を挙げた。あなたが聞いたことがない企業名も含まれているだろう。しかし、これらはいずれも、世界的な優良企業なのであり、また氷山の一角にすぎない。日本には、BtoBの隠れた「お化け企

表3　日本勢のシェアが高いB to B分野

分野名（年）	企業名（順位、シェア）
産業用ロボット（2020）	ファナック（2位, 8.3%）、安川電機（4位, 5.5%）
炭素繊維（2019）	東レ（1位, 35.4%）、三菱ケミカル（2位, 9.9%）
半導体製造装置（2020）	東京エレクトロン（4位, 12.3%）
携帯用リチウムイオン電池（2021）	アンプレックステクノロジー（1位, 38.0%）
リチウムイオン電池向け絶縁体（2021）	旭化成（2位, 14.5%）
車載電池（2021）	パナソニック（3位, 18.2%）
偏光板（2021）	住友化学（1位, 24.2%）
光学用ポバールフィルム（2019）	クラレ（1位, 80%）

出所）日本経済新聞、日経産業新聞他

業」が多いということだ。最初の方で見た、ＢtoＣの分野で日本企業が戦えなくなっているのとは非常に対照的であろう。

五　ＢtoＣからＢtoＢへの華麗なる転身？

日本企業はＢtoＣ分野では世界で戦えなくなっていても、まだまだＢtoＢでは強い。こうした現実を踏まえて、かつて世界的にも有名であった最終製品メーカー（つまりＢtoＣ企業）が、ＢtoＢ分野に事業の軸足を移す動きも、少なからず生まれている。

「テレビ三兄弟」のＢtoＢ企業への転身

その典型は、薄型テレビの国際競争に敗れたメーカーだ。かつて「テレビ三兄弟」といわれたパナソニック（旧松下電器産業）、ソニー、シャープのうち、パナソニックは、なおもテレビをはじめ日本国内の家電製品のシェアは高いものの、今後の成長の軸をＢtoＢ分野にシフトさせてきている。たとえば、米シリコンバレー発の電気自動車（ＥＶ）専業メーカーであるテスラ・モーターズ（表1も参照されたい）に対して、ＥＶの要であるリチウムイオン電池を製造・供給し、表３にあるように、車載電池の世界シェアで第三位につけるようになった

ソニーは先にも見たように、テレビや家庭用ゲーム機でなおも高い世界シェアを持つものの、スマホのエクスペリアは世界で戦えておらず、iPhoneの命ともいうべき高性能カメラのイメージセンサーを供給

している。

また、テレビ事業の不振が経営危機にまで発展したシャープは、台湾企業・鴻海（ホンハイ）精密工業（先ほどのiPhone組立て企業フォックスコンの関連企業である）の傘下に入って経営再建中であるが、鴻海とアップル社の関係からiPhoneや・iＰａｄのパネル（ディスプレイ）をアップルに供給している。そのアップル向けのパネルを製造している主な工場が、三重県のシャープ亀山工場である。ここは「世界の亀山モデル」といわれた液晶テレビ・アクオスを作る国内拠点として有名であったが、今はその一角でiPhoneの部品を作っているのである。

iPhone部品の日本勢のシェアが落ちてきた

しかし、このような国内有数のＢtoＣ企業のＢtoＢへの転身、「縁の下の力持ち」の部品企業への転身は、はたして成功を約束された華麗なる転身といえるのだろうか。もともとＢtoＢ企業が強い日本の技術力の伝統があれば、未来はかなり明るいように思えるが、さてどうか。

最新のiPhone13シリーズにも搭載されているソニーのイメージセンサーは世界シェアが五割に近く（「日経産業新聞」二〇二一年九月一六日）、今のところ盤石といってよいだろう。だが、iPhoneのパネルに関しては、アップル社はｐｒｏシリーズなどのより高級な上位機種を皮切りに、液晶よりも高精細でタッチ反応の速い有機ＥＬ素材への転換を進めている。そして、この有機ＥＬに強みを持つのは日本企業ではなく、サムスン電子やＬＧエレクトロニクスなど韓国企業のほぼ独壇場となっており、アップル社もサムスンとＬＧへの注文を増やしている。液晶パネルＢtoＢ企業としてのシャープは今後そのあおりを受けていくと思われるが、それ以上に深刻なのが、経営再建中の大手ＢtoＢ企業ジャパン・ディスプレイで、アップルからの液晶パネルの注文を大量に失って、医療機器分野への進出を模索中である。

iPhoneへの部品供給をしている企業を全体として見た場合にも、表2に記された約十年前のiPhone4,4sの時代におけるほどの、日本企業の存在感はなくなってきているのが現実だ。二〇一九年のデータでは、アップルへの部品供給業者（サプライヤー）の数は首位が台湾企業で四六社、二位が中国企業で四一社であり、日本企業は三八社と、第三位に甘んじている（『日本経済新聞』二〇一九年三月一八日）。その後、二〇二一年には中国企業が台湾企業を抜いてトップに立ったようである。

東アジアＢtoＢ企業の技術力の底上げ

iPhoneの部品分野においても日本企業が徐々にシェアを落としてきている最大の要因は、中国・台湾・韓国など東アジア諸国の技術力の目覚ましい向上であり、それをアップル社も高く評価するようになっている。一つだけ典型例を挙げておくと、あなたも使っているかもしれないiPhone用のワイヤレスイヤホン「エアーポッズ」だ。この製品の生産でしのぎを削っているのが、中国の新興企業・立訊精密工業（ラックスシェア）と歌爾声学（ゴーテック）であり、エアーポッズの人気の高まりにより両社とも、ベトナムにまで進出して生産を拡大している。特に、躍進著しいラックスシェアはアップル社から高い技術力を認められ、上位機種エアーポッズｐｒｏの生産を一手に任せられている。残念ながら、エアーポッズに関しては日本企業の出番は今のところないのである。

六　掃除機のダイソン氏の賞賛と嘆き

　これまで述べてきたことをおさらいすると、日本企業はその高い技術力などから素材・部品などのB to B分野にもともと強く、近年は日本の代表的なB to C（最終消費者向け）メーカーも、国際競争で自社製品がなかなか戦えなくなっていることから、B to B分野に転身する例が後を絶たない。しかし、中国・台湾・韓国等の東アジア企業勢の技術力の目覚ましい底上げを見る限り、その転身はバラ色の未来を約束しないかもしれない。

　日本の企業が世界市場でも生き残りをかけて戦うのが宿命・至上命題であるならば、われわれ最終消費者に密着した製品にある程度見切りをつけて、素材・部品サプライヤーへと転身するのもやむを得ない。しかし、そこに一抹の寂しさ・無念さが伴うのも事実だ。

　英国発の、スタイリッシュな掃除機を世界に向けて販売するシェア首位のダイソン社（表1参照）。もしかしたらあなたの家庭にも、ダイソンのコードレス掃除機があるかもしれない。そのダイソン社を一代で築き上げたジェームズ・ダイソン氏は、二〇一二年の来日の際に次のようなことを述べた。

「日本にはソニーのようにすばらしい技術を持った企業がいくつもある。米アップルのスマートフォンに入っているソニー製の画像処理半導体は最先端だ。それを自社のスマホやデジタルカメラに載せて大ヒットさせられればもっと良かった」（『日本経済新聞』二〇一二年九月一五日）

「B to Cから逃げないで」

さらに、二〇一三年一二月三日の『日経産業新聞』に掲載された「B to Cから逃げないで」という記事では、より根本的な問題提起がなされている。やや長文だが紹介しよう。

「消費者から遠ざかってしまえば、消費者の求める新しいモノはわからなくなる。最終製品のメーカーの求めに応じて、部品をつくるだけでは飛躍はなくなる。……最終製品を世に送り出しているからこそ、そのなかに組み込む優れたデバイスがつくれるのではないか。「B to B」への安易な転換は、五年後、十年後の発展のチャンスを摘み取る恐れはないのか。……「B to C」に踏みとどまる勇気と粘りが今の日本の大手電機メーカーには求められている」

言うは易く行うは難しだ！というメーカー担当者の声が聞こえてきそうである。しかし、この記事がいうように、少し踏みとどまって考え直してみる価値はありそうだ。あなたも、（おそらくは外国企業製の）スマホを手に取りながら考えてみてほしい。

スマホが典型的であるが、日本企業はなぜここまでB to C分野で弱くなってしまったのだろうか。一つには、われわれ最終消費者に「ほしい！」と思わせるような、デザイン性に優れた製品をなかなか世に出せなくなったことが挙げられよう。iPhoneにしてもダイソンの掃除機にしても、その企業にしかない高度な技術が受けて世界的に売れているのではない。逆に見れば、日本のB to C企業は高い技術力をもとに製品の機能性を追求するあまり、最終消費者に訴求するデザイン分野がおろそかになっている面が否めない（同じことは、今は順風満帆な自動車産業にもいえるだろう）。

二つめは、企業間の国際的な協力・提携関係を作り上げることに、日本のB to C企業があまり乗り気・

得意でなかったことだ。サムスン電子がアップルより後発でありながらスマホ販売世界一になった背景として、ＯＳであるアンドロイドを開発するグーグル社との濃密な提携（アライアンス）関係が挙げられることが多い。自前だけで品質の高いものを世に送り出して良しとするのではなく、有力企業との関係構築によって世界市場を取ってゆく視点が、現代では強く求められていよう。

七　おわりに

本章では、スマートフォンを題材にして、企業間の国際的な競争の一端を見てきた。スマホそのものという最終製品（ＢtoＣの製品）だけでなく、それを一皮むいた部品・素材の分野（ＢtoＢの製品）においても、企業はグローバルな規模でしのぎを削っているのだ。

かつて世界に覇を唱えた日本の最終製品（特に家電）メーカーは、ここ二〇年くらいの間にＢtoＣからＢtoＢへと経営の軸足を移してきていて、その様子はスマホからもはっきりとうかがえる。それが華麗な転身であるのか、それとも撤退戦であるのかは、現時点ではまだわからない。ただ、日本の技術力がどんなに高いとしても、ＢtoＢが企業間国際競争のない世界であるはずはない。

もちろん、企業間の関係は競争ばかりではない。本章では十分に取り上げなかった協力・協調の関係もある。これについては、また機会を改めて述べたいと思う。

第6章
スマートフォンと民主主義の世界

竹中《たけなか》　浩《ゆたか》

一　はじめに

一九九〇年代にインターネットが世に現れてから、情報技術を使って生活の利便性を高めるための、様々なサービスが開発されてきた。グーグルなどの検索エンジンは、必要な情報を短時間でたやすく見つけ出すことを可能にしたし、インターネット通販が広まったことで、われわれは、自ら売り場に出向くことなしに、多様な選択肢の中から気に入った財やサービスを選んで購入することができるようになった。しかし、スマートフォンが登場するまで、そのようなサービスは主に家庭や職場で利用されるものだった。われわれがどこでも簡単にそれを利用できるようになったのは、二〇〇〇年代後半以降のスマートフォンの普及によってである。スマートフォンとともに多彩なＳＮＳ（ソーシャル・ネットワーク・サービス）が広がったことにより、友人や知人の間での情報のやり取りもいっそう活発になった。

受け取る情報量の増大やコミュニケーションの活発化は、市民に対して多様な選択肢や新たな政治参加の機会を提供するから、本来、民主主義にとって好ましいことである。しかし、そこに見落としがちな事実がある。スマートフォンの利用によって、われわれは、生活の利便性と引き換えに、自分自身について多くの情報を第三者に提供しており、サービスを提供する企業はそれを自らの利益のために用いているという事実である。そのことはわれわれ一人ひとりの自由にとって、そして民主主義にとってどのような意味を持つのだろうか。ここではこの問題について考えてみたい。

二　個人情報の集積と利用

ＩＴ企業への個人情報の集積

インターネットを通じて提供される様々なサービスをわれわれが利用すればするほど、サービスを提供する企業には利用者についての多くの情報が集まることになる。検索エンジンを運営する企業には、誰がどんなキーワードを打ち込み、どんなウェブサイトをどのくらいの時間閲覧したかなどといった情報が、インターネット通販業者には、誰がどのような財やサービスに興味を持ち、どのようなアイテムを好んでいるかについての情報が、ＳＮＳを運営する企業には、われわれが書き込んだメッセージとともに、誰と誰がつながっているかという情報が、大量に蓄積されていく。

インターネットサービスを提供している企業は、蓄積された情報をビジネスに利用する。二〇一九年、就職情報サイトを運営する企業による、内定辞退率に関する情報の求人企業への提供が問題になったが、このような単純な利用だけではない。サービスを提供する企業は、蓄積された大量の個人データ、いわゆるビッグデータを使ってアルゴリズム（正しい答えを導き出すための計算手続き）を作って利用者の関心の持ち方を分析し、気に入りそうなものを選別して提供する。検索エンジンを運営する企業は、一人ひとりの利用履歴に基づいて、その人が興味を持ちそうなサイトを優先的に紹介し、通販事業を営む企業は、購入履歴等のデータを分析し、それに基づいて利用者の気に入りそうな財やサービスを推薦する。データの蓄積が進み分析の精度が高まるほど、いっそう利用者の好みに合ったものが紹介され、推薦されることになる。

　企業に好みを知られていることに対して、われわれが文句をいうことはほとんどない。自分の好みを知っていてもらえば時間を無駄にすることがなく、それだけ快適に暮らせるからである。そのため、われわれは進んで情報を提供する。それは効果的なマーケティングを可能にし、インターネットサービスを運営する企業に莫大な利益をもたらす。中でもＧＡＦＡ（アメリカの巨大ＩＴ企業であるグーグル、アマゾン、フェイスブック、アップルの頭文字を並べたもの）に代表されるグローバル企業は、世界中から集まった膨大なデータを一手に握り、それをマーケティングのために利用することで急成長を遂げた。

　このような事態に対して、ヨーロッパの先進国は強い警戒心を持っている。個人情報の取り扱いについて厳格なヨーロッパでは、単に自分のことを人に知られないようにするだけではなく、自分に関する情報をみずからコントロールする権利（自己情報コントロール権）こそが重要だという考え方が強い。これに基づいて、巨大企業による個人情報の商業利用がプライバシーに及ぶことをチェックしようとする動きが強まっている。二〇一八年五月二五日、欧州連合（ＥＵ）では「一般データ保護規則（ＧＤＰＲ）」が施行された。これによって個人データの保護について厳しい規制がかけられ、違反した企業には高額の制裁金が課されることになった。

政府による個人情報の利用

個人情報がいくら大量に収集されても、それが民間企業の中にとどまっている限りは、ビジネスのために利用されるだけである。しかし、そこに政府が手を伸ばすようになると、事態はまったく別の様相を呈する。もともと政府＝行政機関は一人ひとりの市民について多くの情報を持っている。しかし、もし巨大ＩＴ企業が持っている情報へのアクセスが可能になったら、政府はそれまでとは比較にならないほどの量の情報を利用できることになる。

ＩＴ企業がいかに巨大であっても、通信ネットワークを使った情報流通サービスである以上、リアルな世界を支配している政府にはそれをコントロールする力がある。政府は自国の中でどの企業にサービス提供を認めるかを決めることができるからである。そのような政府の権力を使えば、巨大ＩＴ企業が持っている個人情報を政府に提供させることも不可能ではないだろう。特に中国のような権威主義的な国においては、その可能性は高いと考えられる。たとえば、中国の国内で最も広く使われている検索エンジンの「百度（バイドゥ）」には、中国の人々がどのような言葉を検索したかについて膨大なデータが集まっている。政府がこのデータにアクセスできないと考えることは困難である。

それにもかかわらず、個人情報を企業に知られることを、多くの中国国民はそれほど深刻に考えてはいないようである。最近、中国では社会信用システムという仕組みが急速に普及している。様々なデータをもとに、ＡＩ（人工知能）がその人の社会信用を点数化する格付けシステムで、最も有名なのが「芝麻信用

（セサミクレジット）」である。社会信用システムでは、利用者が自分の行動について多くの情報を提供するほどスコアが上がる仕組みになっている。スコアが上がれば、金融や行政のサービスをより便利かつ効率的に受けることができる。逆に問題のある行動をとるとスコアが下がり、ペナルティを受けることもある。

政府は社会信用システムの利用を奨励しているが、多くの国民も自分の信用度が点数化されるシステムを便利だと感じており、スコアを上げるために個人情報を進んで提供している。特に、それなりに裕福で政治的関心の希薄な人たちにとって、社会信用システムという仕組みは快適さをもたらすものであり、運営する企業に個人情報を握られることは、たとえ政府がその情報にアクセスできるとしても、大きな問題ではないのである。

公益のための利用

さらにそれが公益のためにも役立つことが実感されるならば、多くの人々は個人情報を進んで提供するだろう。二〇二〇年、新型コロナウイルスの感染拡大に対し、中国、韓国、台湾、シンガポールなど東アジアの国や地域は概して迅速に対応し、それによってある程度封じ込めに成功したとされる。その一つの原因として、東アジアにおいては政府が個人情報の管理と利用を効果的に行ったことが挙げられている。

特に中国はデジタル技術を使った監視システムで感染拡大を抑え込んだ。感染者が出ると、監視カメラの映像等も活用して詳しい移動経路を割り出し、それを公表することによって濃厚接触者に申告を促した。濃厚接触者を見つけ出すのに力を発揮したのが「健康コード」というアプリである。中国では、国民はスマートフォンにこのアプリをインストールすることになっている。利用者の詳細な移動記録を残し、感染情報と照合することで個人の感染リスクを点数化するものである。これが感染拡大の防止に大いに役立っているといわれる。

多くの先進国と同様、日本では法令によって行政機関が保有する個人情報の利用に制約を設けている。国家機関の場合には個人情報保護法、地方公共団体の場合にはそれに準じて制定された条例が、行政機関による個人情報の利用を制限する。しかしそれだけではない。マイナンバーカードの普及が遅れていることからもわかるように、日本では国民の間にプライバシーを侵されることに対する拒否反応が強い。そのため、個人情報の利用に対して行政機関は常に及び腰である。中国でとられたようなやり方はまず考えられない。それもあって、多くの感染者について感染経路が不明なままであった。

とはいえ、他人の行動に対する不安や不満が強まれば、日本でも行政による個人情報の利用への許容度が高まる可能性がある。少なくとも、今回のコロナ禍がそのハードルを下げたことは疑いない。ＩＣＴの知識が豊富な人たちの間では、新技術を急速に取り入れる中国社会をうらやむ傾向すらあるといっていいだろう。行政による個人情報の利用も、災害時の対応や感染症対策などに目的を絞れば許容されるはずだという意見もある。どの分野で、何の目的で使われたのかがわかるようになっていれば、専門家など第三者がチェックすることができるから問題はないというのである。

行政機関になら個人情報を知られてもよいかという問題は、行政機関をどこまで信用するかという問題と不可分である。行政機関が信用できないと思う人は、行政機関が自分の個人情報を知ることに対しても警戒心を持つだろう。個人情報が常に善用されるなら、つまり誰が見ても公益に適っている目的のためだけに使われるなら、問題はそれほど大きくないと考えられるかもしれない。しかし、行政機関が手に入れた個人情報をそれ以外の目的のために、たとえば国民の行動をコントロールするために、利用しないという確実な保証を得ることは容易でない。

三　情報のパーソナル化とＳＮＳ

情報のパーソナル化

かつてテレビや新聞が主たる情報源であったとき、情報は家族で共有されており、それをめぐって家族の語らいがあった。これに対してスマートフォンを通して情報が届くのは完全に個人の世界においてである。そこでは他者によるチェックは働かず、情報の取捨選択は一人ひとりに委ねられている。スマートフォンに送られてくる大量の情報の中には不正確なものが少なからず混じっている。送られてくる情報が正確か否かの判断を、各個人は自分の責任で行わなければならない。

不正確な情報の混入は正しい判断を危うくさせるから深刻な問題であるが、それとともに民主主義の将来に大きな影響を与えると考えられるのが「情報のパーソナル化」である。情報を提供するサービスは閲覧数に応じて利益が上がる仕組みになっているため、最近では、ＡＩのアルゴリズムにより情報が個々人の好みに合わせてあらかじめ選別された上で届くことが少なくない。その結果、受け手の耳に心地よい情報だけが与えられる傾向が強まることになる。

ニュースの配信も例外ではない。従来、国内外の出来事について、多くの人は新聞から情報を得てきた。新聞の編集者は、読者の世界をできるだけ広げることを使命と考え、様々な指標に基づいて掲載する記事を選んでいる。そのため、紙面には、読者が読みたがる記事だけでなく、新聞社が読むべきであると考える記事も掲載されている。ネットニュースの場合は必ずしもそうではない。ネットニュースは、その人が過去にどんなニュースを読んだか、その人と同じ傾向がある人がどんなニュースを読んでいるかに基づいて、つまり受け手の好みに合わせてニュースを選択し、提供する。

このような「情報のパーソナル化」は、利用者が好まない情報を遮断してしまうおそれをはらんでいる。利用者は自分の好みの情報によって泡のように取り囲まれ、自分の世界に閉じこもってしまう。自分と同じ志向を持つ人や考えには接触するが、異なる視点に触れることが難しくなり、人は次第に自分と異なる他者への想像力を失っていく。これが「フィルターバブル」（イーライ・パリサー）と呼ばれる現象である。人々はばらばらになり、対話が成立しない状況が生まれる。これは民主主義の根幹に深く関わる事態であるといわなければならない。

SNSの普及

情報のパーソナル化をさらに推し進めたのが様々なソーシャルメディアの発達である。一方的な情報伝達とは異なる、双方向のコミュニケーションが一般化したことにより、様々な主体の間で大量の情報が日々やり取りされている。特にスマートフォンの登場は、Twitter（ツィッター）やfacebook（フェイスブック）など、ＳＮＳの普及を著しく促した。ＳＮＳは、他者とのつながりを構築する（したような気にさせる）ことによって、孤独な人が一体感や心理的満足感を獲得するための道具になる。リアルなコミュニティとの結びつきが希薄な人にとって、ＳＮＳはかけがえのないものである。

ＳＮＳを利用して、特定の政治的目的のために個人に働きかけることも行われるようになっている。スマートフォンを通じたマイクロターゲティングである。すでにアメリカなどでは、選挙キャンペーン戦略の一環として、ＳＮＳの個人データをＡＩに解析・学習させて個々の有権者の政治的傾向を割り出し、その人に合った政治広告を製作して送りつけることが行われている。その結果、有権者は容易に特定の政治的立場へと誘導されていく。

ＳＮＳが多くの人に利用される理由の一つは、自分が聞きたいことだけを聞き、見たいものだけを見ることの心地よさである。意見を同じくする人たちの間に一体感を作り出すのに最も適しているのが、特定の対象を叩き、否定する意見である。敵を定め、わらい、さげすみ、攻撃するという態度を共有することで、人は自分がある正しい集団に属しているという安心感と満足感を味わうことができる。当然それに対立する立場もある。しかし、感情的な攻撃を向けられると、対立する側も同様に感情的・攻撃的になる。近年深刻化しつつある社会的分断の背景に、格差の拡大に加えてＳＮＳの普及があることは間違いないだろう。

発言への規制

ＳＮＳ上では、ヘイトスピーチやフェイクニュースなど、利用者が問題のある発言をすることがある。利用者の発言を、誰がどのようにして規制するのか、利用者が発信した情報に対してＳＮＳを運営する企業にどのような責任を負わせるべきかというのは難しい問題である。最近では、企業への規制を求める声が強まり、企業は違法有害情報の流通を抑制する役割を期待されるようになっている。二〇二〇年末、欧州委員会は、大規模プラットフォーム企業に違法コンテンツ対策を求める「デジタルサービス法案」を発表した。他方、企業の自由を尊重する気風の強いアメリカでは、これまで利用者の投稿の内容に関して直接企業の責任を問うことはせず、企業の自主規制に対策を委ねるという仕組みで対応してきた。しかし、最近ではアメリカでもヘイトスピーチやフェイクニュースなどを放置することの問題性を指摘する声が高まり、法改正の動きが出ている。

ＳＮＳを運営する企業に利用者の表現を規制する責任を負わせれば、企業に過大な負担が生じるだけでなく、問題になりそうだというだけで投稿が過剰に削除されるおそれがある。二〇二一年一月八日、ツイッター社がトランプ前大統領のアカウントを永久停止した。企業が政治家の広報活動を事実上規制したのである。これに対しては、支持する意見とともに、前大統領からの発信にアクセスできなくなった一般利用者の「知る権利」が損なわれているという意見もある。

有権者がＡＩによる世論操作の危険性にどう対処するか、そのために規制を行うかどうかは、民主主義を守る上で重要な問題である。日本では二〇一三年の公職選挙法改正によってＳＮＳを使った「インターネット選挙運動」が解禁された。これに対する規制はまだまったくないといってよい。今後、どのような動きが出てくるか、注目する必要がある。

四　おわりに

中国のようないわゆる権威主義体制の国も、アメリカのような自由民主主義の国も、市民の行動がビッグデータを握る人々によってある方向に誘導されている点では変わりがない。違いがあるとすれば、ビッグデータの政治的利用について、中国では政府が直接それを行うのに対して、アメリカでは政治的党派が行う点くらいである。この違いをどう考えるかは政治的信条によって異なるだろう。アメリカの場合、一方の党派がやろうとすれば他の党派が個人の自由の名のもとに批判し、それによって行き過ぎに歯止めがかかることがありうる。中国のような政治体制の場合にはそれは期待できないだろう。もちろん、そのことは、個人情報の政治的利用が問題だと思わない人には関係がない。政府が市民についての情報を握り、それに基づいてその行動をコントロールすることについてどう考えるか、立ち止まって考えてみるのも無駄ではないかもしれない。

それとは別に、われわれが考えておくべきもう一つの問題がある。民主主義の基礎に関わる問題である。民主主義は自律的な個人の総体としての国民を意思決定の主体としている。各個人は異なった考えや好みを持っているから、最後には多数決によって意思決定を行わなければならない。しかし、その時々に行われる多数決の結果として、矛盾した決定が気まぐれに下されたのでは混乱が広がるばかりである。政治社会が安定的に存続するためには、意思決定は連続性を持ったものでなければならない。それを可能にするのは、市民の間で行われる問題意識の共有と議論の積み重ねである。そこには何らかの「公共的世界」の存在が前提とされている。共通の言葉による対話が成り立つ世界といってもよい。民主主義はそれなしには機能しない。

公共的世界は自然発生的に生まれるわけではなく、われわれ自身が構築に努めなければならないものである。スマートフォンの普及とともに進行した情報のパーソナル化が民主主義にとってただちに脅威となるかどうかはともかく、それによって公共的世界が狭まり、従来民主主義の前提とされてきたものが揺らぐおそれのあることは否定できないだろう。公共的世界が消失する危険は、日本やアメリカのような自由民主主義の政治体制においても免れることができない。そのことについて、われわれは常に自覚的でなければならない。

社会の中に異なった意見や対立があるのは自然なことである。しかし、分断の固定は民主主義にとって深刻な危機をもたらす。意見の対立を前提としつつ、分断の固定を避けるために、これまで、異なった意見を持つ人をともに受け入れる共通空間を作り出す工夫がなされ、様々な言論の場が発明されてきた。デジタル化が進む今日、民主主義を存続させるためには、何らかの形で時代に合った共通空間を作らなければならない。そのためにも、自分と異なる意見を拒絶するだけでなく、自分の立場をも含め、それぞれの立場がよって立つ基礎について考えてみること、そして、幅広くコミュニケーションを成り立たせる技術を習得し、異なった立場との間に回路を開く努力が求められているのである。

〔参考文献〕

ＮＨＫ取材班（二〇二〇）『ＡＩ vs. 民主主義―高度化する世論操作の深層―』ＮＨＫ出版新書。

岩村充（二〇二〇）『国家・企業・通貨―グローバリズムの不都合な未来―』新潮選書。

オードリー・タン（二〇二〇）『オードリー・タン―デジタルとＡＩの未来を語る―』プレジデント社。

梶谷懐・高口康太（二〇一九）『幸福な監視国家・中国』ＮＨＫ出版新書。

荻上チキ（二〇一七）『すべての新聞は「偏って」いる―ホンネと数字のメディア論―』扶桑社。

イーライ・パリサー（二〇一六）『フィルターバブル―インターネットが隠していること―』井口耕二訳、ハヤカワ文庫ＮＦ。

〈著者紹介〉

〈掲載順〉

正司《しょうじ》 哲朗《てつお》

奈良大学教授。情報学。和歌山県紀の川市生まれ。龍谷大学大学院理工学研究科博士後期課程修了。博士（工学）。

主な著書 「深層学習による画像診断を利用した動物遺存体の同定技術の構築に向けて」〔共著〕（『考古学ジャーナル』、二〇二一）、『ズーン・バイトラグ川流域の考古学』（モンゴル語）〔共著〕（モンゴル科学アカデミー歴史・考古学研究所、二〇一八）ほか。

中原《なかはら》洪二郎《こうじろう》

奈良大学教授。社会心理学。京都府京都市生まれ。東北大学大学院文学研究科博士後期課程中途退学。修士（文学）。

主な著書 『社会の見方、測り方～計量社会学への招待』〔共著〕（勁草書房、二〇〇六）ほか。

中坊《なかぼう》 勇太《ゆうた》

奈良大学講師。マクロ経済学。京都府生まれ。大阪大学大学院経済学研究科博士後期課程修了。博士（経済学）。

主な著書 "Capital accumulation game with quasi-geometric discounting and consumption externalities."〔共著〕*Economic Theory*, 71(1), 2021, pp.251-281.

吉村《よしむら》 治正《はるまさ》

奈良大学教授。社会学、社会調査法。北海道札幌市生まれ。シカゴ大学社会学部（大学院）修了。Ph.D.

主な著書 『社会調査における非標本誤差』〔単著〕（東信堂、二〇一七）、『近代日本社会学者小伝』〔共著〕（勁草書房、一九九八）ほか。

〈著者紹介〉

〈掲載順〉

尾上《おのうえ》 正人《まさと》

奈良大学教授。産業社会学、社会生物学。岡山県瀬戸内市生まれ。東京大学大学院人文社会系研究科博士課程修了。博士（社会学）

主な著書　『モビリティ社会への展望』（共著）（慶應義塾大学出版会、一九九八）、『中小企業の競争力基盤と人的資源』（共著）（文真堂、一九九九）、『遺伝子社会学の試み』（共編著）（日本評論社、二〇二一）

竹中《たけなか》 浩《ゆたか》

奈良大学教授。政治学・西洋政治思想史。岐阜県岐阜市生まれ。東京大学大学院法学政治学研究科博士課程修了。法学博士。

主な著書　『模索するロシア帝国―大いなる非西欧国家の一九世紀末―』（単著）（大阪大学出版会、二〇一九）、『言葉の壁を越える―東アジアの国際理解と法―』（編著）（大阪大学出版会、二〇一五）、『近代ロシアへの転換―大改革時代の自由主義思想―』（単著）（東京大学出版会、一九九九）ほか。

〈編者紹介〉

奈良大ブックレット10　スマートフォンと○○の世界

二〇二二年三月三一日　初版第一刷発行

編　者　学校法人　奈良大学
著　者　正司哲朗／中原洪二郎／中坊勇太
　　　　吉村治正／尾上正人／竹中　浩〈掲載順〉
発行者　中西　良
発行所　株式会社　ナカニシヤ出版
〒六〇六-八一六一　京都市左京区一乗寺木ノ本町一五番地
電話（〇七五）七二三-〇一一一
ファックス（〇七五）七二三-〇〇九五
振替　〇一〇三〇-〇-一三一二八
URL　http://www.nakanishiya.co.jp/
e-mail　iihon-ippai@nakanishiya.co.jp
印刷・製本　共同精版印刷株式会社
装幀　河野　綾／編集　石崎雄高

ISBN978-4-7795-1631-3 C0336

奈良大ブックレット発刊の辞

市川　良哉

時代が大きく変わっていく。この思いを深める。少子高齢化は社会の在り方や個人の生活を変えていく。情報の技術的な進歩が人とのコミュニケーションの在り方を激変させている。人はどう生きるべきかという規範を見失ったかに見える。地震や津波などの自然災害、殊に原発事故の放射能汚染は生命を脅かしている。こうしたことの中に将来への危惧にも似た不安を覚える。

不安はより根本的な人間の気分を意味するという。こうした気分は人の内面に深く浸透していく。不安にさらされながらも、新しい時代に相応しい人としての生き方こそが求められなければならない。そうしたとき、人は自らの生き方を選択し、決断していかなければならない。孤独な生を実感する。そこでも、われわれはこのような生き方でいいのだろうかと大きな不安を抱く。

不易流行という言葉はもと芭蕉の俳諧用語で、不易は詩的生命の永遠性をいい、流行は詩の時々におけるはやりをいう。ここから、この語はいつの時代にも変わる面と同時に、変わらない面との、二つをもっていることを意味する。

変化する面は措《お》くとして、歴史とは何か。文化とは何か。人間とは何か。人間らしい生き方とは。平和とは何か。人間や世界にかかわるこの問いは不変である。不安な時代の中で、われわれはこの根源的な問いを掲げて、ささやかながらも歴史を、文化を、人間を追求していきたい。そうした営みの中で、人の生き方を考える道筋を求め、社会を照らす光を見出していきたい。

奈良大ブックレットは若い人たちを念頭においた。平易な言葉で記述することを心がけ、本学の知的人的資源を活用して歴史、文化、社会、人間について取り上げる。小さなテーマに見えて実は大きな課題を提起し、参考に供したいと念願する。

二〇一二年一〇月